EL CRISTO DE SAN LUCAS

Conviviendo con un Maestro siempre cercano, humilde y misericordioso

H. Fernando Tamayo, L.C.

EL CRISTO DE SAN LUCAS
Fernando Tamayo, LC

Legionarios de Cristo, A.R.
Av. Universidad Anáhuac II
Lomas Anáhuac
Huixquilucan
Estado de México
CP 52760

Nihil obstat: P. Paul Lara del Arenal, L.C.
Impreso en México.

ÍNDICE

INTRODUCCIÓN

Uno de los salmos más conocidos del Salterio cristiano comienza así: "El Señor es mi luz y mi salvación" (Sl 27, 1). Avanzando en esa oración espontánea, declara el autor la profunda inquietud de su corazón cuando escribe: "Tu rostro buscaré, Señor" (v. 8). En este versículo queda clara la vocación originaria de todo hombre como "buscador de Dios". Traza, así, el autor sagrado en este versículo octavo un camino al creyente para alcanzar una experiencia madura de Dios y acercarse con acierto y provecho a todas las páginas de la sagrada escritura. Buscando el rostro de Dios en esta lectura no podemos perdernos, pues de este modo nos acercamos a la luz y alcanzamos la salvación.

Este versículo se hace aún más verdadero cuando lo aplicamos a las páginas del Nuevo Testamento y, más en concreto, a los cuatro evangelios, donde Dios ya no nos habla con figuras, sino a través de su mismo Hijo (cf Hb 1, 2), Palabra eterna que viene como luz de las naciones (cf Lc 2, 32) para iluminar a quienes se hallan sentados en tinieblas y sombras de muerte y guiar sus pasos por el camino de la paz (cf Lc 1, 79-80) hasta la meta de la salvación.

Cada uno de los cuatro evangelios proyecta una poderosa luz sobre Jesús y nos permite adentrarnos en esta búsqueda del rostro del Señor con las peculiaridades que le son propias. Por lo mismo, cada uno de ellos nos facilita el acceso -por unas rutas distintas y complementarias- a la luz que difunde el Maestro a lo largo de toda su vida.

Las páginas de este libro siguen una de esas rutas, la que nos señala el evangelio de san Lucas y se proponen ayudarnos a crecer en nuestra relación con el Cristo que nos delinea el tercer evangelista. De allí su título: *El Cristo de san Lucas.*

Los distintos capítulos pretenden ofrecer al lector perspectivas y sugerencias espirituales y pastorales que colaboren en la personal tarea de identificar el rostro concreto que emerge de las páginas de este evangelio. Quieren, de este modo, orientar y simplificar nuestro proceso de conocimiento, amor, imitación y difusión del mensaje perenne y atractivo de Jesús de Nazaret a través del prisma que nos ofrece el tercer evangelista.

Por ofrecer alguna ayuda ulterior, *El Cristo de san Lucas* aparece estructurado en tres partes con distinto número de capítulos, que siguen de un modo general un orden cronológico:

1. Relaciones de Cristo con su Padre y con el Espíritu Santo (cc. 1 - 2).
2. Relaciones de Cristo con los demás (cc. 3 - 10).
3. Relaciones de Cristo consigo mismo (cc. 11 - 15).

En cuanto a los contenidos más particulares, la primera parte se concentra en la anunciación, el nacimiento y la vida oculta del Señor. La segunda ofrece distintos pasajes de la vida pública. La tercera presenta sobre todo la pasión, muerte y resurrección del Señor.

Los pasajes analizados son en muchos casos exclusivos de san Lucas, aunque aparecen en algunas ocasiones escenas que podemos leer además en san Mateo, san Marcos o san Juan.

El libro está pensado como una fraterna ayuda para cualquier creyente que desee avanzar en la búsqueda del rostro multiforme de Dios y progresar en su conocimiento, amor e imitación. Puede ser un instrumento útil en la lectura y meditación personal, en la formación más profunda de laicos y religiosos que deseen alimentar su fe con el Pan de la palabra que nos ofrece con generosidad san Lucas, en la instrucción de catequistas y profesores de religión, en el desarrollo de algunas jornadas de estudio y de profundización sobre el tercer evangelio...

Las citas que no proceden de la sagrada escritura buscan *conectar* el texto concreto con la perenne tradición de la Iglesia y *dar* cierta mayor *actualidad y arraigo* al pasaje concreto y a sus diversas enseñanzas.

Estas páginas habrán alcanzado su meta si algunos de sus lectores encuentran en ellas un estímulo para seguir adentrándose en la perenne belleza y actualidad de Jesús y, así, continúan 'buscando el rostro de Dios' en la sagrada escritura y en las sorpresas múltiples de la vida.

PRIMERA PARTE:

RELACIONES CON DIOS

"TÚ ERES MI HIJO AMADO" (Lc 3, 22)

I. NACIMIENTO Y VIDA OCULTA

Uno de los rasgos que más llaman la atención al leer los primeros capítulos del evangelio de san Lucas es la relación de amor que tiene el Hijo con el Padre y el Espíritu Santo.

La imagen que nos ofrece el tercer evangelista sobre Jesús no es casual, superficial o improvisada. En efecto, él sabe que muchos han intentado relatar la vida de Cristo según escucharon a testigos oculares. Por lo mismo, se ha informado exactamente de todo desde los orígenes y escribe ordenadamente a Teófilo para que conozca la firmeza de las enseñanzas que ha recibido de viva voz (cf Lc 1,1-4).

Así, el designio salvífico de las tres Divinas Personas sobre la humanidad caída y necesitada de redención avanza desde las primeras páginas de un modo progresivo y armónico. Iniciado en los primeros capítulos del Génesis, después del pecado de Adán y Eva, con la promesa de alguien que pisaría la cabeza de la serpiente, el plan divino de la redención está alcanzando sus etapas principales.

1. Anuncio y nacimiento del Precursor (Lc 1,5-25. 57-80)

Por esa indagación diligente y completa de Lucas somos testigos de la relación del Hijo amado con el Padre desde el anuncio y el nacimiento de Juan Bautista, el precursor. Concluido el prólogo de este evangelio descubrimos a un Jesús que, ya antes de nacer en un acto de amor obediente, *moviliza y revoluciona su entorno* disponiendo el ambiente y los corazones para la venida del Mesías (cf Lc 1,17).

Esa movilización divina explica la aparición del arcángel Gabriel en el templo al sacerdote Zacarías para anunciarle el nacimiento de Juan, no obstante lo avanzados en edad que se hallan él y su esposa Isabel (cf Lc 1,5-25). El ángel del Señor castiga la comprensible incredulidad de Zacarías con la mudez que mantendrá hasta el día del nacimiento de Juan (cf Lc 1,20). Ese silencio obligado concluirá en realidad ocho días después del nacimiento del Precursor, el día de su circuncisión, después de que su padre ha escrito en unas tablillas el nombre de Juan (cf Lc 1,57-64), como se lo había mandado el arcángel Gabriel (cf Lc 1,13).

Parte de esa misma movilización divina que Jesús causa en su entorno es también, por un lado, la alegría por el nacimiento de Juan por parte de sus padres, parientes y vecinos; y, por otro, el temor que ocasiona el futuro desconocido de un niño tan especial ya desde su nacimiento, pues la mano del Señor está en él (cf Lc 1,57-66).

El Espíritu Santo interviene también llenando el corazón de Zacarías que, inspirado por él, agradece la inmediata visita divina redentora que cumple de ese modo las promesas de sus profetas y el juramento hecho a Abrahán (cf Lc 1,67-73). El mismo Espíritu Santo revela además a Zacarías otros detalles sobre el futuro de Jesús y de Juan: el Hijo de Dios librará del temor y de los enemigos a Israel para que el pueblo elegido pueda servir al Señor en santidad y justicia toda su vida (cf Lc 1,74-75). Y Juan, 'profeta del Altísimo', preparará los caminos del Señor para dar a conocer la salvación a su pueblo con la remisión de los pecados (cf Lc 1,76-77).

2. Anunciación (Lc 1,26-38)

Gracias a las informaciones precisas de Lucas conocemos, además, otro momento importante del Hijo amado antes de su nacimiento y que sólo nos transmite el tercer evangelista: la encarnación del Hijo de Dios cuando María da su sí a la propuesta que el Señor le hace a través del mismo arcángel Gabriel en la Anunciación (cf Lc 1,26-38).

Por no distraer la atención del objeto de este pasaje -la figura y actuación del Hijo amado- me fijaré principalmente en la imagen que estos versículos proyectan del Mesías. Vemos que éste será concebido y nacerá del seno de María (cf Lc 1,31); que se llamará Jesús (cf Lc 1,32); que será grande e Hijo del Altísimo (cf Lc 1,33); que Dios le dará el trono de David su padre para reinar sin fin en la casa de Jacob (cf Lc 1,33). Nos revela también san Lucas el modo milagroso de su nacimiento: el Espíritu Santo vendrá sobre María y la cubrirá con su sombra y el hijo así engendrado será Hijo de Dios (cf Lc 1,35). Resuelve de este modo el ángel la pregunta que inquieta a María, quien 'no conoce a varón' (Lc 1,34).

En esta movilización divina, el Padre lo ha preparado todo: elige al arcángel Gabriel (Lc 1,26), el momento ("En el sexto mes" Lc 1,26) y el lugar ("una ciudad de Galilea llamada Nazaret" Lc 1,26). Quiere necesitar la ayuda humana ("una virgen... llamada María Lc 1,27). La busca, inicia el diálogo con ella en su vida ordinaria. Es Dios quien elige las palabras: el saludo ("Alégrate, llena de gracia" Lc 1,28), le asegura la garantía de la compañía divina ("el Señor está contigo" Lc 1,28), comprende su turbación y le infunde confianza ("No temas, porque has hallado gracia ante Dios" Lc 1,30), le propone la misión imprevista y superior a sus posibilidades ("Concebirás y darás a luz un hijo..." Lc 1,31), responde a su inquietud ("El Espíritu Santo vendrá sobre ti..." Lc 1,35). Da las señales que él cree convenientes ("Isabel, tu parienta, también ha concebido" Lc 1,36). Revela su poder ("porque nada hay imposible para Dios" Lc 1,37). Es un Dios que no atropella ni violenta, sino que espera la respuesta libre de su creatura (cf Lc 1,38).

En un transporte de gozo el autor anónimo primitivo del *Poema sobre la Anunciación* comenta así el saludo del arcángel Gabriel a María, aplicando con intuitiva profundidad a la Virgen con diversas expresiones del Antiguo y del Nuevo Testamento:

"Alégrate, tierra no sembrada! ¡Alégrate, arbusto ardiente que no se consume! ¡Alégrate, profundidad inescrutable! ¡Alégrate, puente que conduce al cielo! ¡Alégrate, escala que Jacob vio colocada en alto! ¡Alégrate, frasco divino de maná! ¡Alégrate, liberación de condena! ¡Alégrate, restablecimiento de Adán, pues el Señor está contigo!"[1]

Este plan divino va adelante porque encuentra un alma sensible, humilde y dócil en María, abierta a Dios en el silencio interior, que descubre su vocación y su misión en la oración, escucha allí sorprendida el plan divino y no se envanece por ello sino que consulta al Señor sus comprensibles dudas. No es un alma racionalista que exige a Dios entender todo antes de dar su asentimiento: se contenta con lo que Dios quiere aclararle o probarle sin poner condiciones ni límites al Señor que le irá descubriendo progresivamente su plan completo. Y, sobre todo, se ofrece al Señor -su Rey- como colaboradora incondicional: "Aquí está la sierva del Señor: hágase en mí según tu palabra" (Lc 1,38). Acepta de este modo la voluntad de Dios filial, amorosa, total y objetivamente, sin intentar cambiarla, aplazarla, manipularla o recortarla según sus conveniencias y previsiones humanas. Por lo mismo, concebirá y dará a luz un hijo, lo llamará Jesús y sabrá que él recibirá el trono de David su padre (cf Lc 1,31-33).

El resultado inmediato de esta aceptación de María es la encarnación del Hijo de Dios por amor al hombre. El P. Antonio Orbe, S.I., imagina así este 'mandamiento' que la Santísima Trinidad se impone al enviar al Hijo a redimir a la humanidad:

---

[1] ANÓNIMO, *Festal Menaion, 3, 155-156*, Ekklesiastike Bibliotheke, Oikos Mic. Saliberou A.E. Staliou 12, Atenas 1960.

Yo no sé si en las interioridades divinas vale hablar de mandamientos. Entre los tres, imagino, debió de introducirse uno, uno solo: "Amarás al hombre sobre todas las cosas": sobre toda tu omnipotencia y sabiduría, sobre toda tu justicia y santidad, sobre toda incorruptela y luz, sobre toda claridad y hermosura. Le amarás en toda su miseria y pequeñez, en toda su iniquidad e ingratitud, en toda su soberbia e hinchazón, en todos sus vicios y pecados; sobre toda su pobreza y ruindad, sobre todas sus pasiones y enfermedades, sobre todos los sufrimientos y penas habidos y por haber. El Padre comunicó al Hijo el mandamiento y lo consumó en virtud del Espíritu Santo. Y en aceptación de él, el Verbo se hizo carne y enfermó entre nosotros. Al instante cayeron sobre él todas las humanas miserias y le aprisionaron.[2]

3. La visitación (Lc 1,39-56)

Este Jesús, ya en el seno de María, la impulsa a visitar a su pariente Isabel y le inspira buenas obras: deseos de servir de prisa (cf Lc 1,39), con discreción y normalidad ("y entró en casa de Zacarías y saludó a Isabel" Lc 1,40); le inspira asimismo serenidad y humildad ante las alabanzas de Isabel ("¡Bendita tú entre las mujeres!" Lc 1,42 ss).

El Espíritu Santo enriquece el alma de Isabel con una sincera humildad ("¿De dónde a mí que la madre de mi Señor

---

[2] ORBE Antonio, *Elevaciones sobre el amor de Cristo,* 124

venga a mí?" Lc 1,43) y con una fe que también ella ha recibido ("Dichosa tú, que has creído" Lc 1,45). Le aporta también confianza en las respuestas divinas ("porque lo que te ha dicho el Señor se cumplirá" Lc 1,45).

La presencia de Jesús en el seno de María es activa y fecunda ya desde los primeros momentos de su encarnación, como lo manifiesta con su acción múltiple en el corazón de su Madre. Le da una santa audacia y un espíritu de gratitud sincera y cordial ("Mi alma engrandece al Señor" Lc 1,46), trae a su alma una alegría interior genuina ("se alegra mi espíritu en Dios mi Salvador" Lc 1,46). Le inspira una humildad auténtica que significa andar en verdad ("ha mirado la humildad de su sierva" Lc 1, 48-49).

La enriquece con tres verdades de la sabiduría divina, fruto de su contacto con los textos del Antiguo Testamento: la misericordia de Dios es eterna (cf Lc 1,50), su poder destruye al soberbio y enaltece al humilde (cf Lc 1,51-54), el Señor es fiel a sus promesas (cf Lc 1,55). Le da también la perseverancia en el servicio ("María permaneció con ella como unos tres meses" Lc 1,56) y la humildad que sabe desaparecer oportuna y discretamente ("y se volvió a su casa" Lc 1,56).

Es, pues, un Jesús que invita al servicio y que es portador de audacia, de alegría y de sentido a la historia de la salvación.

4. El nacimiento (Lc 2,1-20)

En el texto que narra el hecho más importante de la historia humana entrevemos en primer lugar la acción del Padre que, como nos recuerda san Juan, tanto amó al mundo que le dio a su Hijo unigénito (Jn 3,16).

Es un amor sabio que respeta y aprovecha los cauces normales de los acontecimientos humanos: el edicto de César Augusto (cf Lc 2,1) y el viaje de José y de María encinta para el empadronamiento (cf Lc 2,3-4).

Es un amor misterioso que no ahorra a José ni a María dificultades duras y humanamente incomprensibles como el alumbramiento en esas circunstancias ("estando allí" cf Lc 2,6), el rechazo ("porque no había lugar para ellos en el mesón" Lc 2,7), la pobreza real que rodea el nacimiento y las primeras muestras de amor de María ("lo envolvió en pañales y lo acostó en un pesebre" Lc 2,7). Captamos así cómo Dios prueba más a quienes más ama.

Es un amor sorprendente que, cuando lo cree oportuno, actúa de modo diverso y envía otros ángeles para convocar a los pastores -humildes, preferidos por Dios- (cf Lc 2,8-14) y para traer la felicidad al hombre y armonizar el cielo con la tierra: "Gloria a Dios en las alturas y paz en la tierra a los hombres que ama el Señor" (Lc 2,14).

Pero aparece también del mejor modo la verdad del *amor obediente del Hijo* al Padre: "Me has dado un oído abierto... 'He aquí que vengo [a]... hacer tu voluntad'" (cf Sl 40,7-9). Y podemos apreciar distintas cualidades de este amor divino de Jesús al hombre: el desprendimiento de quien no reputó como botín ser igual a Dios, tomando la forma de siervo y haciéndose semejante a los hombres (cf Fp 2,6-7), la búsqueda y acompañamiento del hombre por parte de Jesús que "puso su tienda entre nosotros" (Jn 1,14), el sufrimiento y el sacrificio de un Dios que nace fuera de casa y es recostado en un pesebre por no haber lugar para ellos en el mesón (cf Lc 2,7), su compromiso con el hombre a quien busca elevar, enriquecer y devolver su condición regia de hijo de Dios.

En estas condiciones desfavorables del lugar, del tiempo y del rechazo del pueblo, Jesús nos da a entender que el verdadero amor al Padre no es un sentimiento agradable, sino la aceptación realista del plan de Dios sobre la propia vida en cada circunstancias. Es un mensaje de fondo de la navidad: una aceptación sencilla de la orden lejana de un desconocido; una aceptación dolorosa por el rechazo de los hombres, por la carencia de recursos, por el 'abandono del Padre' en un momento tan importante como el nacimiento; una aceptación fecunda que así empieza a salvar a su pueblo de los pecados (cf Mt 1,21) y que pone en movimiento a los ángeles del cielo y a algunos hombres de la tierra, a los magos distantes y a los pastores cercanos, a los gobernantes como Herodes con su orden impía y a los súbditos que se admiran de cuanto les dicen los pastores.

Aprendemos que amar es poner al servicio de Dios y del hombre cuanto soy y tengo, aceptando todas sus disposiciones, sus métodos, su ritmo, las dificultades que él permite, y comprometiéndome ilusionada y tenazmente en la realización de su plan de redención.

Nos enseña, además, que este amor de Jesús al Padre es también un amor humilde que le lleva a prescindir de toda manifestación visible de su dignidad divina, de su grandeza, de su poder, de su libertad, de sus conocimientos. Y nos invita a sacar consecuencias prácticas para nuestra vida, como las que nos sugiere Charles de Foucauld (1916 - 1974) en el siguiente escrito:

> En mis pensamientos, palabras y acciones por mí o por el prójimo, no hacer ningún caso de la grandeza, de la ilustración, de la estima humana, sino apreciar aún más a los más pobres que a los más ricos... Prestar más atención al último obrero que al príncipe, puesto que Dios ha aparecido como el último de los obreros... Para mí buscar siempre el último de los últimos puestos, para ser también pequeño, como mi Maestro, para estar con él, marchar tras él, paso a paso, como fiel criado, fiel discípulo y, puesto que en su bondad infinita, incomprensible se digna permitirse hablar así, como fiel hermano y fiel esposo...

> En consecuencia, organizar mi vida para ser el último, el más despreciado de los hombres, para pasarla como mi Maestro, mi Señor, mi Hermano, mi Esposo que ha sido la

abyección del pueblo y el oprobio de la tierra, "un gusano y no un hombre..."

Vivir dentro de la pobreza, la abyección, el sufrimiento, la soledad, el abandono, para vivir en la vida con mi Maestro... que ha vivido así toda su vida y me da tal ejemplo desde su nacimiento.[3]

Esta meditación induce, además, al creyente a remitir al Padre todos sus cuidados, a someterle sus cualidades y a aceptar la obediencia al emperador Augusto, el rechazo de los hombres, la indiferencia de la historia, una corte de pastores y de sabios extranjeros. Este amor humilde le lleva también a aceptar lo único que le dejamos casi por descuido los hombres: un pesebre.

El amor de Jesús al Padre en su nacimiento aporta otros beneficios a la vida del hombre: ilumina el significado de la vida, de la esencia misma de Dios que es amor, de la riqueza; aporta fuerza ante las exigencias de la misión a María y a José; alegra a los pastores y a los magos; hace surgir del corazón la maravilla y la alabanza a Dios; descubre el sentido profundo y redentor de la obediencia, de la sencillez, del dolor, de la pobreza y de la propia vocación sobre la tierra.

Mucho nos ayudará, para profundizar en estas virtudes que nos testimonia Cristo con su nacimiento, adoptar y meditar con

---

[3] CHARLES DE FOUCAULD, *Escritos espirituales*, Herder, Barcelona 1979, p. 57-8

sencillez en las actitudes espirituales que Tomás de Kempis refleja en una de sus meditaciones sobre el nacimiento del Salvador:

"Te alabaré, buen Jesús, niño dulce y amable de mi vida: cantaré a mi Dios mientras viva. Porque tú me has invitado a venir a tu santísimo pesebre, en el cual te has dignado estar tendido por mí, indigno. ¿Quién se podrá apartar de aquí? Nadie, porque tú eres mi amado, de quien no quiero separarme para siempre.

Por tanto, me quedaré en servicio de mi Señor (...) Encenderé un poco de fuego, soplaré con diligencia para que no se apague, pondré la mesa, traeré agua. Limpiaré el suelo (...). Alfombraré este noble y real pesebre (...), adornaré esta santa cuna que para mí no es un vil establo, antes me recrea más que un palacio imperial. (...) Guardaré con cautela la puerta para que no venga Herodes a matar al Niño, al cual tomaré fielmente bajo mi guarda. Porque primero me dejaré matar que sufrir que extienda sobre él sus manos sacrílegas. Y si es menester huir y así a él le agrada, estaré dispuesto para huir con él a Egipto."[4]

5. La presentación en el templo (Lc 2,22-39)

Cuarenta días después de su nacimiento lo llevan sus padres al templo para presentarlo al Señor (cf Lc 2,22). Es apenas un infante, pero ese niño es Dios y atrae a los que tienen fe y

---

[4] TOMÁS DE KEMPIS, *Pláticas y meditaciones*

saben esperar las citas divinas, como es el caso de Simeón (cf Lc 25-35) y de la profetisa Ana (cf Lc 2,36-38), extrae de ellos sus mejores notas (cf Lc 29-32.38) y una verdad dolorosa: ha de afrontar un futuro inquietante para él, para muchos israelitas y para su misma Madre.

En este pasaje el amor obediente de Jesús resalta como sumisión puntual a la ley de Moisés y, sobre todo, como ofrecimiento al Señor y como entrega consciente y gozosa, en la mañana de la propia vida, a la misión elevada de ser luz de los gentiles y gloria de Israel (cf Lc 2,32). Será una misión difícil porque implicará estar puesto para caída y levantamiento de muchos en Israel, ser signo de contradicción (cf Lc 2,33). Su misma Madre verá atravesada su alma con una espada (cf Lc 2,35).

Orígenes (c. 185 - c. 254) comenta de este modo la expresión "signo de contradicción" del pasaje que nos ocupa:

"Todo lo que se narra en la historia del Salvador es objeto de contradicción Una virgen es madre, y esto es contradictorio. (...). Tuvo un cuerpo humano, y también este signo se contradice: unos dicen que ese cuerpo vino del cielo, otros que tuvo un cuerpo en todo semejante al nuestro (...). Él resucitó de entre los muertos, y éste es también un signo de contradicción. (...)

Pienso que las predicciones de los profetas son igualmente signo de contradicción. (...). Todo esto es contradicción no para los que creen en él, pues sabemos bien que lo que afirma la Escritura es verdad. Pero para los incrédulos es signo de contradicción todo lo que se ha escrito respecto a Cristo."[5]

Simeón también nos enseña algunas lecciones útiles para nuestras relaciones con Dios. Es un hombre de fe y de confianza en el Señor (v. 25), recibe una promesa divina y espera todo el tiempo que sea necesario (v. 26). Acude puntual al templo a la cita con Dios, movido por el Espíritu Santo (v. 27). Su fe descubre a Dios en un niño normal (vv. 27-28). El contacto con Dios le 'desata la lengua' y así bendice a los padres (v. 34), profetiza la misión del Señor como "signo de contradicción" (v. 34), predice también los dolores de María (v. 35) y las diversas reacciones de los hombres (v. 35).

6. El niño Jesús en el templo (Lc 2,40-50)

Al cumplir doce años le corresponde subir a Jerusalén en la fiesta de la pascua (cf Lc 2,40-42). Su amor obediente al Padre lo lleva a cumplir este deber religioso de todo adolescente judío. En este pasaje nos deja también otras lecciones propias de toda dificultad que el Señor permite.

Dios tiene previstas las pruebas en distintos momentos de cada vida humana y no se las ahorra a nadie, ni a san José, ni a

---

[5] ORÍGENES, *Homilías sobre el evangelio de Lucas*, 17, 4-5.

su Madre. Él busca realizar el plan divino soberanamente y, si alguno de sus pasos puede resultar doloroso para sus seres queridos por superar sus previsiones humanas, procura en su momento ayudarles a progresar en el desprendimiento personal y a caminar en el claroscuro de la fe. Por lo mismo, no lo explica todo, aunque da pistas y la fuerza necesaria para afrontar las dificultades. Su respuesta a María ("¿Por qué me buscabais?" Lc 2,49) parece dar a entender que en el pasado les habría ya indicado esta norma de actuación suya: que debía estar en las cosas de su Padre (cf Lc 2,49).

La interacción entre Jesús y María nos descubre varios aspectos dignos de notar y muy útiles para situaciones semejantes entre padres e hijos o entre educadores y alumnos. Nos permite ver cómo María tiene confianza en su Hijo y le deja un margen de acción de cierta amplitud; cuando no encuentra a Jesús entre sus parientes y conocidos al final de la primera jornada del regreso, no pierde el tiempo en lamentaciones: busca la respuesta en común con su esposo José donde humanamente se lo sugieren su amor y su sentido común. No comprende la respuesta de su Hijo, pero no la rechaza: la guarda en su corazón y la convierte en tema de meditación cordial y en ocasión de crecimiento, no de cavilación, encerramiento, distanciamiento. Así va aprendiendo en situaciones nuevas que Dios es lo primero, gana serenidad, confianza, entrega, visión más sobrenatural de la vida y de sus situaciones, madurez... Va aprendiendo, en definitiva, a dejar a Dios ser Dios.

7. Vida oculta (Lc 2,51-52)

La sobriedad de san Lucas resume en dos versículos la parte más amplia de la vida de Jesús, sus treinta años de vida oculta en Nazaret. El primer versículo centra su mensaje en la obediencia de Jesús a sus padres, manifestación externa del amor obediente a su Padre que le ha trazado ese itinerario y ha fijado esos plazos para realizar los distintos pasos de la redención. Se trata de una obediencia sencilla que lo lleva a someter su voluntad al querer de María y de José. Una obediencia humilde que no busca imponer los propios criterios, que oculta su naturaleza y poder divinos en las dimensiones reducidas de ese pueblo pequeño e insignificante, de donde era improbable que saliera algo bueno, según expresión de Natanael (cf Jn 1,46). Una obediencia consciente de su aportación decisiva a la misión redentora de Jesús, que no hace consistir lo esencial en viajes, discursos, escritos, iniciativas y decisiones trascendentales, sino en el sometimiento amoroso al querer de su Padre, cuya voluntad ha hecho en el cielo y quiere seguir haciendo en la tierra, como nos enseña en el Padre nuestro. Una obediencia que implica el heroísmo de la dificultad objetiva de lo mandado y de su duración en el tiempo.

El segundo versículo (Lc 2,52) nos presenta otro aspecto del amor obediente de Cristo a su Padre: se somete también a la ley del crecimiento y del progreso en sabiduría, edad y gracia ante Dios y ante los hombres. Este crecimiento que supone hundirse en el surco de una vida sin relieves ni brillos externos, enriquecer su naturaleza humana con la experiencia y sabiduría de sus contemporáneos y dejar pasar días y noche, semanas, meses y años antes de ver el fruto maduro del apóstol que iniciará su vida pública cuando tiene alrededor de treinta años (cf Lc 3,23).

El crecimiento y el progreso de Cristo en su vida oculta implica que tiene un ideal al que se va acercando cada día: "He aquí que vengo, para hacer, oh Dios, tu voluntad" (cf Hb 10,7); que cada día trabaja y se prepara para afrontar 'su hora'. Y que ya ve frutos. Entre otros, podemos enumerar la paz que produce el estar realizando la voluntad del Padre, la satisfacción también humana de distintos objetivos alcanzados cada día, el gozo al ponerse en contacto por primera vez con diversas verdades y experiencias de la vida y, sobre todo, la redención de la humanidad que realiza con cada jornada y acto de entrega amorosa al plan de redención trazado por el Padre.

II. VIDA PÚBLICA

Corresponde ahora contemplar las relaciones de Jesús con el Padre y con el Espíritu Santo a lo largo de su vida pública. Para ello analizaré algunos pasajes en los que aparecen estas Divinas Personas, siguiendo el orden cronológico que nos propone san Lucas. Los detalles del análisis dependerán de la extensión objetiva y de la riqueza de las páginas evangélicas.

1. Bautismo de Jesús (Lc 3,21-22)

Lucas inicia la narración de la vida pública de Cristo con la precisión de un historiador que investiga con cuidado los hechos y las fuentes. Nos ofrece así las referencias precisas de política internacional y nacional aludiendo mencionando el año XV del emperador Tiberio y a Poncio Pilato en el primer caso, y a Herodes y sus hermanos gobernadores de distintas regiones de Israel (cf Lc 3,1). Conocemos también los nombres de los máximos jefes religiosos judíos: Anás y Caifás (cf Lc 3,2). Y la actividad apostólica del precursor que predica con claridad y dureza a las muchedumbres (cf Lc 3,2-17).

Con este contexto cronológico, político, geográfico y religioso situamos mejor la vida pública de Cristo que Lucas inicia con el bautismo del Señor. Es una breve escena que nos presenta a Jesús cuando acude a bautizarse con todo el pueblo como si fuese un pecador más. Era el paso que en ese momento le pedía el Padre. Y con amor obediente lo da Jesús. Desde el cielo manifiestan su unión y su complacencia el Espíritu Santo, que desciende corporalmente en forma de paloma sobre Jesús, y la voz del Padre que dice: "Tú eres mi Hijo amado, en ti me complazco" (Lc 3,22).

Al hombre de todas las épocas, que fácilmente se caracteriza por su orgullo y su autosuficiencia, su vanidad y su deseo de aparecer, su búsqueda de privilegios y su susceptibilidad, le hace mucho bien contemplar esta breve escena evangélica.

Se ve ya desde esta primera página de la vida pública del Señor que cuanto hará no es una mera iniciativa personal, sino una tarea común de las tres Divinas Personas que actúan en plena armonía. El Padre y el Espíritu Santo apoyan al Hijo en todos los pasos de la redención y desean subrayar, aprobar públicamente y recomendar -con su presencia milagrosa y su palabra- la persona y la misión de Jesús.

Así comenta san Hipólito (170? - 235?) el versículo 22: "Tú eres mi Hijo amado: en ti me complazco":

Jesús fue a donde Juan y recibió de él el bautismo. Cosa realmente admirable. La corriente inextinguible que alegra la ciudad de Dios es lavada con un poco de agua. La fuente inalcanzable, que hace germinar la vida para todos los hombres y que nunca se agota, se sumerge en unas aguas pequeñas y temporales.

El que se halla presente en todas partes y jamás se ausenta, el que es incomprensible para los ángeles y está lejos de las miradas de los hombres, se acercó al bautismo cuando él quiso. Se abrió el cielo, y vino una voz del cielo que decía: «Éste es mi Hijo, el amado, mi predilecto». (...)

Éste es mi Hijo, el amado: aquel que pasó hambre, y dio de comer a innumerables multitudes; que trabajaba, y confortaba a los que trabajaban; que no tenía dónde reclinar su cabeza, y lo había creado todo con su mano; que padeció, y curaba todos los padecimientos; que recibió bofetadas, y dio al mundo la libertad; que fue herido en el costado, y curó el costado de Adán.[6]

Puesto que el Padre y el Espíritu Santo se manifiestan así sobre Jesús, nos corresponde contemplar a este Hijo amado, escuchar sus palabras y considerar sus acciones para ir conociéndolo y amándolo cada día más, imitándolo en nuestra vida y difundiendo su mensaje con nuestro testimonio y nuestras palabras.

El Señor, que ha nacido en humildad y ha vivido humilde y escondido obedeciendo a sus padres durante treinta años (cf Lc 2, 51), empieza su vida pública practicando esta virtud. Se presenta en fila como los demás y con ellos, sin buscar ni aceptar privilegio alguno por su condición divina, pues conviene que

---

[6] S. HIPÓLITO, *Sermón en la Santa Teofanía* 2, 6-8.

cumpla toda justicia. Viene a salvar a los pecadores y desciende humilde hasta el nivel de ellos pidiendo el bautismo a Juan. Nos da ejemplo de una normalidad de vida que no acepta distinciones y, para redimir al hombre, quiere vivir toda la experiencia de esta creatura, menos el pecado (cf Hb 4,15). Es el Hijo amado de Dios que ha estado en contacto íntimo con él durante los treinta años de vida oculta y seguirá dedicando mucho tiempo a ese diálogo cordial con su Padre. Por ello el Padre lo ama y encuentra en él su complacencia (cf Lc 3,22).

Nos enseña de este modo a superar la búsqueda de excepciones y las diversas muestras con que nuestra vanidad quiere ocultarnos de los demás y en realidad les descubre nuestro interior y, en él, una pobreza humana y espiritual más profunda.

No es pues, de extrañar, la voz del cielo que se escucha cuando el Espíritu Santo desciende sobre Jesús en ese momento en forma de paloma: "Tú eres mi Hijo amado, en ti me complazco" (Lc 3, 22). Por ello la humildad es el mejor camino para agradar al Padre, como aquí nos refiere san Lucas, para hallar el descanso del alma y encierra el secreto para penetrar el corazón de Dios (cf Mt 11, 29).

En síntesis, de este pasaje podemos aprender cuáles son los tres puntos fuertes de quien desee empezar una vocación más seria de entrega al Señor en el servicio a los demás: *la humildad* de quien no necesita el bautismo de pecadores y se somete a él, *la oración* como ambiente de la propia existencia y fuente de seguridad y de fuerza sobrenatural, *la complacencia de Dios* con quien hace siempre lo que es de su agrado.

2. La oración de Jesús (Lc 5,12-16; 6,12-19)

Me permito unir en este apartado varios pasajes diversos en los que aparece el Señor disponiéndose a orar después de curar a un leproso (Lc 5,12-16), dialogando con el Padre durante toda una noche (Lc 6,12-19), recordando algo que él vive de modo habitual: que es preciso orar en todo tiempo y no desfallecer (Lc 18,1-8). Habrá más momentos de la oración de Jesús en otras partes de este estudio, dejados para entonces a propósito por distintos motivos.

En el primero de estos pasajes vemos cómo Jesús, dedicado de lleno a su actividad apostólica, cura a un leproso que se arrodilla ante él, le pide la salud y el Señor se la concede extendiendo su mano sobre el enfermo (Lc 5,12-16). Su fama se va extendiendo y numerosas muchedumbres concurren para ser curadas.

Pero, nos dice san Lucas, "él se retiraba a lugares solitarios y se daba a la oración" (Lc 5,16). Así nos transmite el Señor dos consignas. La primera es que cada hombre debe encontrar un equilibrio entre el darse a los demás y el llenarse de Dios, entre la conquista y la contemplación, entre el ruido de la acción y el silencio de la oración. Sin este equilibrio que llena el seno del corazón, el hombre quedará aturdido tal vez por aparentes éxitos, carecerá de fuerza espiritual para continuar su dura labor apostólica y, ciertamente, se empobrecerá poco a poco. En esta situación, en vez de repartir a los demás el pan de la salvación, los despedirá vacíos, encandilándolos tal vez con el oropel de su personilla. Así los alejará de él mismo y, posiblemente, de Dios.

Y la segunda consigna: sin oración no hay acción eficaz, sin contemplación no hay conquista, sin la unión con Dios la actividad humana es estéril. Es preciso buscar primero estar con Dios, entablar con él unas relaciones de amistad e intimidad. Cristo había meditado aquel salmo que dice: "Si el Señor no construye la casa, en vano se cansan los albañiles" (Sl 127,1). Y posteriormente podrá formular la consigna con estas palabras: "Sin mí, no podéis hacer nada" (Jn 15,5).

Una última reflexión sobre el primer pasaje: cuando san Lucas dice precisamente: "se retiraba", nos indica que era una costumbre del Señor, una acción que él repetía con frecuencia en su vida apostólica, un hábito que había formado en su vida oculta y que ahora seguía fomentando en su vida pública. Con una vida de oración cordial y auténtica Cristo no teme el apostolado intenso, los desplazamientos continuos, las frecuentes dificultades que le presentan las personas o las circunstancias.

El segundo pasaje es más explícito sobre la oración del Señor y nos revela algo más sobre su relación con el Padre. En la víspera de la elección de los doce (Lc 6,12-19) salió él a la montaña para orar, y pasó toda la noche orando a Dios.

Captamos que Jesús no sólo oraba después de su actividad apostólica, sino también de modo especial *antes de decisiones importantes* como lo es la elección de los doce apóstoles. Es una decisión que afectará toda la vida de sus más íntimos seguidores y desea comentar con el Padre la situación y posibilidades de cada uno de los elegidos. No puede dar a la ligera un paso de tanta trascendencia para el futuro de sus apóstoles y para la vida misma de la Iglesia que está para fundar y que va a encomendar al cuidado de estos elegidos.

Nos reconforta y estimula saber que fue una oración larga que duró toda la noche, en correspondencia con la importancia de esa iniciativa y necesidad divina. No es un elevar por un momento el corazón al Padre para darle gracias y pedirle algún favor, como en otras ocasiones de la vida pública de Cristo.

Desconocemos el desarrollo de este diálogo entre Jesús y su Padre. Sólo podemos entreverlo por lo que el Señor dirá a Pedro la tarde del jueves santo: "He orado por ti para que tu fe no desfallezca" (Lc 22,32). Y por el resultado: de entre muchos elige sólo a doce llamados inicialmente desde antes y conocidos por su correspondencia de ese período de convivencia con el Señor.

Entendemos que también en nuestra vida hay momentos en que no basta una jaculatoria, una rápida visita al Santísimo en una iglesia, la recitación de una oración vocal ajena, media hora o una hora de diálogo con el Señor... Son circunstancias en que hemos de comprometernos más a fondo en un diálogo continuado e insistente con Dios, tanto como el de la viuda que pide justicia al juez inicuo (Lc 18, 1-8), o como el de la mujer cananea que pide repetidamente al Señor el milagro de la curación de su hija (Mt 15,21-28). Y estas circunstancias pueden ser, entre otras, la elección de estado de vida, una decisión importante en la propia profesión, una determinación que afecte al propio futuro o al futuro de personas queridas, de una institución, de la Iglesia misma o de la sociedad. Más fácilmente acertará quien esté más habituado a contar con Dios en esos momentos, quien tenga mayor confianza para 'cansarlo' con la propia y humilde insistencia, quien esté decidido a dedicar más tiempo para aclarar la situación viéndola con los ojos de Dios y resolviendo todo según la voluntad de Dios.

Y captamos que este 'retirarse a orar durante toda una noche' no es una deserción de las propias responsabilidades ni una muestra de debilidad, sino una implicación más acertada, profunda y decisiva en las tareas personales y la muestra de una fortaleza nada común que sabe superar las urgencias del momento, la comodidad del merecido descanso, la ofuscación que puede acarrear inicialmente una seria dificultad.

Como testimonio cercano nos quedará siempre el del papa Juan Pablo II 1920 - 2005), quien consideraba la oración no como una evasión fácil al mundo de lo irreal, sino como la obra esencial de la propia vocación:

En los inicios de mi pontificado dije que la oración es para mí el primer deber y casi el primer anuncio, así como la primera condición de mi servicio en la Iglesia y en el mundo. Hay que reafirmar que cada persona consagrada al ministerio sacerdotal o a la vida religiosa, así como todo creyente, deberá tener siempre la oración como la obra esencial e insustituible de su propia vocación. (...)

Sabemos que la fidelidad a la oración o su abandono son la prueba de la vitalidad o de la decadencia de la vida religiosa, del apostolado y de la fidelidad cristiana.[7]

3. La transfiguración (Lc 8,28-36)

También este milagro nos revela otra instantánea de las relaciones de Jesús con el Padre. El pasaje inicia en un contexto de oración: "Sucedió como unos ocho días después de estos discursos que, tomando a Pedro, a Juan y a Santiago, subió a un monte a orar" (Lc 8,28). Y el mismo milagro de la transfiguración ocurre "mientras oraba" (Lc 8,29).

Aunque Jesús vive habitualmente unido a su Padre, en ocasiones particulares destaca de modo especial esta relación cordial con él: Jesús mismo lo necesita por las dificultades que su naturaleza humana encuentra en el desarrollo de su misión. Además, desea hacernos ver la necesidad que también nosotros

---

[7] JUAN PABLO II, *Adoración eucarística* del 24 de noviembre de 1984

tenemos de valorar de esta forma la oración y de introducir o reforzar este hábito en nuestra vida.

Es un momento especial en la vida del Señor y él busca el lugar para dialogar más íntimamente con su Padre. Necesita este momento de unión íntima y consuelo para fortalecer su espíritu ante la cercanía de su pasión. Se le aparecen dos varones -Moisés y Elías- que, además de sintetizar la Ley y los Profetas del Antiguo Testamento, como Jesús sufrieron también de manera especial y a su modo en la realización de la misión a ellos encomendada. Por lo mismo, el tema del diálogo entre Jesús y Moisés y Elías es la partida del Señor, que había de cumplirse en Jerusalén (cf Lc 9,31). La oración lo transporta a 'otro mundo', lo transfigura; en ella encuentra la fiel compañía del Padre que lo ama y la de dos grandes personajes del Antiguo Testamento. La oración lo confirma en su decisión de fidelidad de cara a la misión.

El Padre refrenda con la voz que sale de la nube su complacencia en el Hijo amado, elegido para la misión de redimir a la humanidad. Y marca a los apóstoles una consigna que no ha perdido actualidad: "Escuchadle" (Lc 9,35).

Hay otros aspectos de interés en este pasaje sobre la oración de Jesús a su Padre. Uno que aparece en primer lugar es la 'separación' (cf v. 28): el buscar voluntariamente retirarse para esa experiencia que queda mejor arropada y atendida en un ambiente de intimidad. Aquí, pues, Cristo 'se separa' del grupo y del lugar en que desarrolla su trabajo apostólico y, al mismo tiempo, 'separa' para acompañarlo a Pedro, a Juan y a Santiago.

Viene luego la 'subida a un monte' (cf v. 28). Las distintas religiones han visto en las montañas el lugar más cercano entre el cielo y la tierra, la mayor altura a la que puede subir por su propio pie el hombre y el lugar más cercano al que puede la divinidad descender desde el cielo. Ciertamente, el alcanzar la cumbre de un monte implica el esfuerzo de la subida y, además, en las alturas se está más cerca del cielo, el aire que se respira es más puro y las dimensiones y relaciones de las cosas aparecen de un modo más objetivo.

Todos estos matices materiales y geográficos tienen su aplicación espiritual para la vida del seguidor de Cristo: la ascesis de la subida, la mayor cercanía al lugar en que Dios habita, la respiración más profunda y pura y la mayor objetividad para ver cada cosa facilitan la oración de unión con Dios. Y entonces es más probable que se dé el milagro. Muy probablemente no será el de una transfiguración personal externa y de escasa duración. Pero sí debe ser el de una mutación íntima en la que nos relacionemos con Cristo y con la Sagrada Escritura, entremos en esa nube divina, deseemos que esa experiencia beatificante se prolongue, pongamos a los demás en el centro de nuestras preocupaciones, no advirtamos el paso del tiempo y oigamos y hagamos caso a la voz del Padre: "Éste es mi Hijo elegido, escuchadle" (Lc 9,35).

Esta escucha nos es urgente, sobre todo porque el Señor guarda en su corazón todos los tesoros espirituales que necesitamos como individuos, familias, sociedades, según lo desglosa san Juan de la Cruz (1542-1591) en el siguiente paso de su comentario al Cántico Espiritual. Ojalá no temamos pasar por la puerta de la cruz, condición que constata el mismo santo en el texto:

> Hay mucho que ahondar en Cristo, porque es como una abundante mina con muchos senos de tesoros, que, por más que ahonden, nunca les hallan fin ni término, antes van hallando en cada seno nuevas vena de nuevas riquezas acá y allá.

> Que, por eso, dijo san Pablo del mismo Cristo, diciendo: *En Cristo moran todos los tesoros y sabiduría escondidos,* en los cuales el alma no puede entrar ni llegar a ellos, si, como habemos dicho, no pasa primero por la estrechura del padecer interior y exterior a la divina Sabiduría (...).

> ¡Oh, si se acabase ya de entender cómo no se puede llegar a la «espesura» y sabiduría de «las riquezas de Dios», que son de muchas maneras, si no es entrando en la «espesura del padecer» de muchas maneras, poniendo en eso el alma su consolación y deseo! ¡Y cómo el alma que de veras desea sabiduría divina desea primero el padecer para entrar en ella, en la «espesura de la cruz»![8]

---

[8] S. JUAN DE LA CRUZ, *Cántico espiritual,* Declaración de las estrofas 37, 4 y 36, 13

Así, nuestro seguimiento de Cristo tendrá mayor sentido, sabremos comprender y afrontar las dificultades necesarias de la subida aunque ésta sea lenta, captaremos la llegada a esa cumbre como una meta relativa, la presencia de Dios se hará paz y felicidad en nuestro corazón y veremos esa experiencia como una preparación para la llegada a la meta definitiva.

San Anastasio Sinaíta (s. VII) exhorta de corazón a sus oyentes a participar en la escena de la transfiguración del Señor y hace surgir en su interior la nostalgia del cielo cuando dice:

> Corramos hacia allí, animosos y alegres, y penetremos en la intimidad de la nube, a imitación de Moisés y Elías, o de Santiago y Juan. Seamos como Pedro, arrebatado por la visión y aparición divina, transfigurado por aquella hermosa transfiguración, desasido del mundo, abstraído de la tierra; despojémonos de lo carnal, dejemos lo creado y volvámonos al Creador, al que Pedro, fuera de sí, dijo: Señor, ¡qué bien se está aquí!

Ciertamente, Pedro, en verdad qué bien se está aquí con Jesús; aquí nos quedaríamos para siempre. ¿Hay algo más dichoso, más elevado, más importante que estar con Dios, ser hechos conformes con él, vivir en la luz? Cada uno de nosotros, por el hecho de tener a Dios en sí y de ser transfigurado en su imagen divina, tiene derecho a exclamar con alegría: ¡Qué bien se está aquí!, donde todo es resplandeciente, donde está el gozo, la felicidad y la alegría, donde el corazón disfruta de absoluta tranquilidad, serenidad y dulzura, donde vemos a (Cristo) Dios, donde él, junto con el Padre, pone su morada y dice, al entrar: Hoy ha sido la salvación de esta casa, donde con Cristo se hallan acumulados los tesoros de los bienes eternos, donde hallamos reproducidas, como en un espejo, las imágenes de las realidades futuras.[9]

4. Revelación del Padre a los pequeños (Lc 10,21-24)

La escena precedente muestra a los setenta y dos discípulos que han regresado alegres a Jesús después de sus primeras correrías apostólicas: han constatado que hasta los demonios se les han sometido en nombre de Jesús. Él los invita a mirar más arriba en sus aspiraciones y a alegrarse más bien de que sus nombres se hallen escritos en los cielos (cf Lc 10,17-20).

En este marco, el breve pasaje de sólo cuatro versículos nos entreabre una escena de la intimidad espiritual de Jesús, el Hijo amoroso y obediente del Padre. Cristo no disfruta de una alegría sana aunque algo superficial como la de los discípulos. A él lo inunda el gozo profundo del Espíritu Santo que lo habita y dirige en su vida. Tal gozo pone en sus labios una oración espontánea al Padre en la que lo alaba por su señorío sobre el cielo y la tierra y por la sabiduría con que se oculta a los sabios y entendidos de este mundo y se revela a los pequeños. Se admira de ese maravilloso plan divino. Revela después varias

---

[9] S. ANASTASIO SINAÍTA, obispo, *Sermón en el día de la Transfiguración del Señor*

verdades de esa relación personal con su Padre: la generosidad espléndida del Padre ha entregado todo al Hijo, el acceso único para conocer al Hijo es el Padre, la puerta única para conocer al Padre es el Hijo, y éste lo revela a quien quiere. Estas verdades, desconocidas y deseadas por muchos profetas y reyes del Antiguo Testamento, hacen felices a quienes las escuchan.

Vemos como por una rendija las relaciones íntimas de las tres Personas de la Santísima Trinidad, el amor que fluye entre ellos y se derrama como gozo, sabiduría, señorío, conocimiento íntimo que los sacia de una felicidad que desborda a sus creaturas, si éstas saben ser pequeñas y mantenerse en una actitud de humildad.

Y captamos una constante en la acción de Dios en la historia y en su relación con el hombre: la elección de lo humilde. Vale la pena traer aquí una breve reflexión de Benedicto XVI cuando aún era sólo el cardenal Ratzinger:

Esta característica [la elección de lo humilde] la vemos primeramente en el escenario de la actuación divina, la tierra, esa mota de polvo perdida en el universo; en que dentro de ella, Israel, un pueblo prácticamente sin poder, se convierte en el pilar de su historia; en que Nazaret, otro lugar completamente desconocido, se convierte en su patria; en que el Hijo de Dios nace finalmente en Belén, fuera del pueblo, en un establo. Todo esto muestra una línea.[10]

---

[10] J. RATZINGER, *Dios y el mundo*, Círculo de lectores, Barcelona 2002, p. 200

Comprendemos también mejor los transportes de verdadera alegría y gozo de santos como Francisco de Asís (1182 - 1226) y Teresa de Lisieux (1873 - 1897). Y nuestros corazones se encienden en deseos de ser contados entre ese número de quienes reciben de Cristo la revelación del Padre. Y se consideran dichosos por ver a Cristo, aunque ya no físicamente como lo experimentaron en la tierra los discípulos, sí verdaderamente presente en la eucaristía, operante en los evangelios y en toda la sagrada escritura, vivo en cada uno de nuestros hermanos, especialmente en los más necesitados.

5. Padre nuestro (Lc 11,1-4)

Otro momento importante de la vida del Señor y de sus relaciones con el Padre nos lo ofrece el presente pasaje. En una de esas ocasiones en que él se retiraba a orar a lugares elegidos con cuidado, lo encontraron los discípulos. Respetaron su recogimiento, esos momentos de efusión íntima de su alma con el Padre y, cuando Jesús había acabado su oración, le dice uno de sus discípulos: "Señor, enséñanos a orar, como también Juan enseñaba a sus discípulos" (Lc 11,1).

Desconocemos lo que hayan visto entonces sus discípulos en Jesús. Lo que sí captamos es que entraba tan profundamente en contacto con Dios y los discípulos se veían tan lejos de esa meta, que surgía en ellos el anhelo íntimo de aprender de su Maestro el mejor modo de orar. De allí su ruego: "Señor, enséñanos a orar". Vemos cómo el ejemplo arrastra y la mejor escuela de oración es un auténtico orante. Si, además, este orante es Jesús, verdaderamente los discípulos son unos afortunados pues ven lo que muchos profetas y reyes no vieron y oyeron lo que esos profetas y reyes no oyeron (cf Lc 10,23-24).

Jesús, que ama y comprende a sus discípulos, accede a su petición y nos permite entrever algo del tesoro que guarda en su corazón. Nos marca así el camino profundo de toda oración auténtica. Ésta no se pierde en peticiones secundarias, urgencias en ocasiones según nuestra débil fe y nuestra escala de valores distinta de la de él. No se desborda en palabrerías ni en las largas oraciones que Jesús mismo había criticado en el Sermón de la Montaña (cf Mt 6,7).

La oración que el Señor nos enseña y que él practica va a lo esencial y nos marca unas consignas de valor perenne. Tres se refieren a Dios mismo: dirigirnos a él como a nuestro Padre, el título que más le agrada y que capta su esencia más profunda; desear y buscar que su nombre sea santificado; ansia de que se manifieste el señorío de Dios. Y las otras tres son peticiones que se refieren a los orantes: el pan o la subsistencia común diaria, el perdón, la ayuda en la tentación.

Si analizamos de momento muy por encima la oración de Jesús en Getsemaní, descubriremos en ella la primera y la última de estas consignas. Con lo cual caemos en la cuenta de que él alimenta su alma en la misma fuente a la que nos conduce con la oración dominical que nos enseña en el presente pasaje.

En el fondo, con su oración Jesús busca alimentar su alma para realizar con perfección la voluntad de su Padre. Y nos pide a nosotros que, cuando oremos, dejemos a Dios ser Dios; que no le marquemos un camino estrecho, ni le insistamos en lo que necesitamos individual y tal vez egoístamente. Que tengamos la valentía de pedir a Dios lo esencial: la presencia de su paternidad, la santificación de su nombre, la venida de su reino. Y que nuestras verdaderas necesidades no queden sofocadas por urgencias del momento, sino que se vean reflejadas en las tres últimas peticiones: la subsistencia común diaria, el perdón necesario, la ayuda divina en la tentación.

Ofrezco para consideración del lector parte del comentario que hace el papa Benedicto XVI sobre la sexta petición: "No nos dejes caer en la tentación":

> Con ella [la sexta petición] decimos a Dios: «Sé que necesito pruebas para que mi ser se purifique. Si dispones esas pruebas sobre mí, si —como en el caso de Job— das una cierta libertad al Maligno, entonces piensa, por favor, en lo limitado de mis fuerzas. No me creas demasiado capaz. Establece unos límites que no sean excesivos, dentro de los cuales puedo ser tentado, y mantente cerca con tu mano protectora cuando la prueba sea desmedidamente ardua para mí». En este sentido ha interpretado san Cipriano la petición. Dice: cuando pedimos «no nos dejes caer en la tentación» expresamos la convicción de que «el enemigo

no puede hacer nada contra nosotros si antes no se lo ha permitido Dios; de modo que todo nuestro temor, devoción y culto se dirija a Dios, puesto que en nuestras tentaciones el Maligno no puede hacer nada si antes no se le ha concedido facultad para ello» (De dom. or., 25).

Y luego concluye, sopesando el perfil psicológico de la tentación, que pueden existir dos motivos por los que Dios concede al Maligno un poder limitado. Puede suceder como penitencia para nosotros, para atenuar nuestra soberbia, con el fin de que experimentemos de nuevo la pobreza de nuestra fe, esperanza y amor, y no presumamos de ser grandes por nosotros mismos: pensemos en el fariseo que le cuenta a Dios sus grandezas y no cree tener necesidad alguna de la gracia. Lamentablemente, Cipriano no especifica después en qué consiste el otro tipo de prueba, la tentación a la que Dios nos somete ad gloriam, para su gloria. Pero, ¿no deberíamos recordar que Dios impone una carga especialmente pesada de tentaciones a las personas particularmente cercanas a Él, a los grandes santos, desde Antonio en el desierto hasta Teresa de Lisieux en el piadoso mundo de su Carmelo? Siguen, por así decirlo, las huellas de Job, son como la apología del hombre, que es al mismo tiempo la defensa de Dios. Más aún: están de un modo muy especial en comunión con Jesucristo, que ha sufrido hasta el fondo nuestras tentaciones. Están llamados, por así decirlo, a superar en su cuerpo, en su alma, las tentaciones de una época, a soportarlas por nosotros, almas comunes, y a ayudarnos en el camino hacia Aquel que ha tomado sobre sí el peso de todos nosotros.[11]

Esta oración que el Señor nos enseña es una escuela que nos puede parecer severa en alguna ocasión, -incluso algo seca y alejada de nuestras necesidades más urgentes- pero es la que mejor nos educa y acerca al ideal, pues también nos consta que el mismo Señor, con una oración así, aprendió a obedecer y sacó las fuerzas necesarias para llevar hasta el final su misión de redentor.

---

[11] BENEDICTO XVI, *Jesús de Nazaret I,* c. 5

SEGUNDA PARTE

RELACIONES CON LOS DEMÁS

"AL VERLO TUVO COMPASIÓN" (Lc 10, 33)

III. MARÍA

A las observaciones hechas sobre María en las primeras etapas de la vida del Señor corresponde añadir otras sobre las relaciones que se advierten entre Jesús y su Madre en la vida pública.

Las noticias que Lucas nos refiere sobre María en la vida oculta del Señor son relativamente abundantes, fruto sin duda de esa actitud maternal que guardaba todo esto meditándolo en su corazón (cf Lc 2,19) y de un evangelista que se ha informado exactamente de todo (cf Lc 1,3). Los pasajes que se refieren a María en la vida pública son escasos. No obstante, nos permiten ver algunas interesantes actitudes de Jesús que importa contemplar e interiorizar.

El primer pasaje alude brevemente a los parientes de Jesús (Lc 8,19-21). Son sólo tres versículos. Pero en ellos Jesús nos transmite lecciones importantes. Una primera es que Jesús se ha separado de su madre y de su familia y vive intensamente dedicado a su misión. Los treinta años de pacífica e íntima convivencia han concluido y ahora corresponde a Jesús entregarse a la misión de anunciar el reino de Dios. El 'debo estar en las cosas de mi Padre' pronunciado a sus doce años (cf Lc 2, 49) ha adquirido tal peso que es el centro de su vida. La libertad con que ha de darse a los demás debe ser amplia y continuada para poder emplear a fondo su tiempo contado en bien de la misión. Por lo mismo, son su madre y algunos familiares quienes lo buscan en algún momento de la vida pública de Jesús.

Jesús nos enseña algo más: los lazos naturales de parentesco tienen su lugar y su importancia en su vida. Así él ha querido necesitarlos, los ha vivido y disfrutado en su nacimiento y en su larga vida oculta, formando parte de una verdadera familia humana, la sagrada familia. Pero es más definitivo el parentesco espiritual. Y éste se adquiere oyendo y poniendo por obra la palabra de Dios. Los lazos naturales se reducen a pocas personas. Los espirituales son más universales, superan las distancias y los tiempos. El parecido en el primer caso se da entre dos personas o pocas más; en el segundo se multiplica por el número de oyentes de la palabra de Dios y de creyentes que actúan de modo semejante y armonioso ya que tienen "un solo corazón y una sola alma" (H 4, 32).

El segundo pasaje es también breve (Lc 11,27-28) y completa estas enseñanzas de Jesús en relación con su Madre. Una mujer del pueblo, al escuchar la predicación de Jesús, levanta la voz y proclama dichosa a la Madre del Salvador. El Señor no se enfada porque alguien interrumpe su predicación, sino que deja libertad para intervenir mientras él habla. Tampoco contradice la espontaneidad sincera de la mujer, pero añade un matiz importante a su comentario. Él sabe que su Madre, en efecto, es dichosa, como la proclama esta oyente. Pero conoce la causa más profunda de su dicha y la quiere revelar a la mujer, a los que lo escuchaban en ese momento y a todos sus futuros seguidores.

La causa a la que apunta la mujer indica una situación irrepetible: sólo una mujer puede gozar esa dicha, la que lo ha dado a luz, su Madre. Jesús con su evangelio aporta motivos mayores de dicha, "que lo serán para todo el pueblo" (cf Lc 2,10). En su respuesta a la mujer amplía el horizonte de la dicha y profundiza su causa. Nuevamente nos transporta del nivel material de una familia humana a un nivel espiritual más definitivo y universal. Y, sin quitar la verdad de la dicha de la maternidad humana, subraya otra dicha, 'para todo el pueblo' (cf Lc 2,10) y que coincide con el parentesco espiritual que había comentado en el anterior pasaje: la dicha de quienes oyen la palabra de Dios y la guardan.

De este modo relativiza de nuevo los lazos naturales de la familia, que ciertamente en distintos momentos producen alegría y gozo, e introduce en el gozo más profundo de la familia de los creyentes fundada por él, una familia que supera los confines del espacio y del tiempo, de las razas y de las clases sociales, de las cualidades individuales y de los progresos colectivos...

Como conclusión de este presento un extracto de una homilía de san Cirilo de Alejandría (376 - 444), obispo, pronunciada el año 341 en el solemne ambiente de un Concilio ecuménico. En ella alaba a María por los motivos espirituales que resalta también nuestro Señor en los pasajes comentados aquí arriba:

Tengo ante mis ojos la asamblea de los santos padres, que, llenos de gozo y fervor, han acudido aquí, respondiendo con prontitud a la invitación de la santa Madre de Dios, la siempre Virgen María. Este espectáculo ha trocado en gozo la gran tristeza que antes me oprimía. Vemos realizadas en esta reunión aquellas hermosas palabras de David, el salmista: Ved qué dulzura, qué delicia, convivir los hermanos unidos.

Te saludamos, santa y misteriosa Trinidad, que nos has convocado a todos nosotros en esta iglesia de santa María, Madre de Dios.

Te saludamos, María, Madre de Dios, tesoro digno de ser venerado por todo el orbe, lámpara inextinguible, corona de la virginidad, trono de la recta doctrina, templo indestructible, lugar propio de aquel que no puede ser contenido en lugar alguno, madre y virgen, por quien es llamado bendito, en los santos evangelios, el que viene en nombre del Señor.

Te saludamos, a ti, que encerraste en tu seno virginal a aquel que es inmenso e inabarcable; a ti, por quien la santa Trinidad es adorada y glorificada; por quien la cruz preciosa es celebrada y adorada en todo el orbe; por quien exulta el cielo; por quien se alegran los ángeles y arcángeles; por quien son puestos en fuga los demonios; por quien el diablo tentador cayó del cielo; por quien la criatura, caída en el pecado, es elevada al cielo; por quien toda la creación, sujeta a la insensatez de la idolatría, llega al conocimiento de la verdad; por quien los creyentes obtienen la gracia del bautismo y el aceite de la alegría; por quien han sido fundamentadas las Iglesias en todo el orbe de la tierra; por quien todos los hombres son llamados a la conversión.

Y ¿qué más diré? Por ti, el Hijo unigénito de Dios ha iluminado a los que vivían en tinieblas y en sombra de muerte; por ti, los profetas anunciaron las cosas futuras; por ti, los apóstoles predicaron la salvación a los gentiles; por ti, los muertos resucitan; por ti, reinan los reyes, por la santísima Trinidad (...).[12]

---

[12] S. CIRILO DE ALEJANDRÍA, *Homilía pronunciada durante el Concilio de Éfeso*

IV. JUAN BAUTISTA

Los datos sobre las relaciones de Jesús con Juan Bautista empiezan desde las primeras páginas del evangelio y son allí más abundantes que los ofrecidos en la vida pública. Pero en ambos momentos nos manifiestan aspectos interesantes sobre la persona de Jesús en su relación con un familiar y estrecho colaborador: su precursor.

Sin aparecer mencionado Jesús en el anuncio del precursor, vemos que es Dios quien decide el momento del nacimiento de Juan y quien elige al sacerdote Zacarías y a su esposa Isabel, ambos ya ancianos, para ser los padres del precursor.

En el pasaje de la visitación (Lc 1,39-56) se da el primer encuentro entre los dos, cuando ambos se encuentran en el seno de sus madres. Ante la cercana presencia de Jesús recién concebido, Juan exulta de alegría en el seno de Isabel. Este milagro es parte de la movilización que origina Jesús en torno a él. Ya desde este momento Juan anuncia y 'señala' de este modo al Salvador del mundo. Le falta aún nacer, pero aquí ya en familia empieza a realizar esa misión ante el asombro alegre de Isabel y de María.

Con ocasión del nacimiento de Juan será su padre Zacarías quien relacione a su hijo con Jesús al declarar solemnemente la vocación de su hijo: "serás llamado profeta del Altísimo, pues irás delante del Señor para preparar sus caminos, para dar a conocer la salvación a su pueblo" (Lc 1,76-77). Antes deberá prepararse durante muchos años para su misión pública, "crecer y fortalecerse en espíritu y morar en los desiertos" (cf Lc 1,80).

Como podemos constatar al inicio de la vida pública de Jesús, éste da a Juan, con la misión, la conciencia de saberse parte de la promesa divina hecha al pueblo de Israel desde las primeras páginas del Antiguo Testamento en Moisés y en Isaías. Una promesa dilatada en el tiempo, insospechada y urgente porque responde a la necesidad más importante y universal: la redención. Por ello actúa con gran humildad, como 'voz' que prepara el camino del Señor e invita a enderezar los senderos (cf Lc 2,4), bautizando en agua y concretando a quienes se le acercan los modos como deben realizar esta tarea: las muchedumbres, publicanos y soldados (cf Lc 2,10-14).

Juan Bautista es humilde. Comprende su vocación y no quiere que lo confundan con el Mesías, ni con Elías, ni que le atribuyan poderes exclusivos de la Palabra, siendo él sólo la 'voz'.

San Agustín (354 - 430) reflexiona así sobre este pasaje, con su habitual agudeza y sentido pastoral:

> Y precisamente porque resulta difícil distinguir la palabra de la voz, tomaron a Juan por el Mesías. La voz fue confundida con la palabra: pero la voz se reconoció a sí misma, para no ofender a la palabra. Dijo: No soy el Mesías, ni Elías, ni el Profeta.

Y cuando le preguntaron: ¿Quién eres?, respondió: Yo soy la voz que grita en el desierto: «Allanad el camino del Señor». La voz que grita en el desierto, la voz que rompe el silencio. Allanad el camino del Señor, como si dijera: «Yo resueno para introducir la palabra en el corazón; pero ésta no se dignará venir a donde yo trato de introducirla, si no le allanáis el camino».

¿Qué quiere decir: Allanad el camino, sino: «Suplicad debidamente?» ¿Qué significa: Allanad el camino, sino: «Pensad con humildad»? Aprended del mismo Juan un ejemplo de humildad. Le tienen por el Mesías, y niega serlo; no se le ocurre emplear el error ajeno en beneficio propio.

Si hubiera dicho: «Yo soy el Mesías», ¿cómo no lo hubieran creído con la mayor facilidad, si ya le tenían por tal antes de haberlo dicho? Pero no lo dijo: se reconoció a sí mismo, no permitió que lo confundieran, se humilló a sí mismo.

Comprendió dónde tenía su salvación; comprendió que no era más que una antorcha, y temió que el viento de la soberbia la pudiese apagar.[13]

Juan es consciente de que el pueblo ansía la venida del Mesías y avisa que está llegando, que es más fuerte y digno que él y que bautizará en el Espíritu Santo y en fuego (cf Lc 2,15-17).

---

[13] S. AGUSTÍN, *Sermón* 293,3

Así comprendemos que la cercanía de Jesús hace al hombre honesto, humilde y fuerte para vivir y transmitir fielmente un mensaje claro y exigente, y que este mensaje no escandaliza ni aleja a quienes, aun viviendo lejos del ideal, sienten el deseo sincero de encontrarse con el Mesías prometido por los profetas.

San Cirilo, patriarca de Alejandría (376 - 444), comenta la predicación del Bautista que nos narra el tercer evangelista:

"San Lucas ha introducido tres grupos que interrogan a Juan: las multitudes, los publicanos y los soldados. Lo mismo que un médico hábil aplica un remedio adecuado a cada enfermedad, de la misma manera el Bautista daba a cada uno de los modos de vida un consejo útil y adecuado: a las multitudes que caminan hacia el arrepentimiento les dice que usen la comprensión mutua; a los publicanos les cierra el camino de la imposición sin límites; finalmente, de forma muy sabia, a los soldados les dice que no opriman a nadie sino que les baste su paga."[14]

Captamos en el presente pasaje varias características de todo auténtico apóstol, precursor que deja actuar en su vida a Jesús. Una primera es que ha escuchado a Dios en el desierto durante años en el silencio, en la oración, en el examen sereno y lleno de fe de sus posibilidades. Además, es consciente de

---

[14] S. CIRILO DE ALEJANDRÍA, *Comentario al evangelio de Lucas*, 3, 10.

que precede la venida del Señor sabiéndose simple instrumento -secundario y libre- de un Dios que quiere en un segundo momento llegar a fondo con cada alma. Sabe, por otro lado, que su misión consiste en disponer al encuentro con Jesús rellenando los barrancos de nuestros temores, allanando los montes y collados de nuestra soberbia y vanidad, rectificando los caminos tortuosos de nuestros valores e intenciones, igualando las asperezas de nuestras formas y actuaciones. En cuarto lugar, señala a Jesús con la autenticidad de su testimonio y la verdad de su predicación, sin rebajas ni respetos humanos. Así permite y facilita a los hombres descubrir la salvación que nos trae Dios.

Hay otro pasaje de la vida pública de Jesús en que podemos encontrar más luz sobre las relaciones de Jesús con Juan Bautista. Nos lo transmite san Lucas en el capítulo séptimo (vv. 18-35). Es un pasaje con diversos aspectos que subrayan diversos aspectos de ambas personalidades y de la relación entre los dos.

Prisionero de Herodes desde el capítulo tercero por no rebajarle el mensaje del Señor, Juan envía a Jesús a dos de sus discípulos para preguntarle si era el que venía o debían esperar a otro. Se puede intuir que el corazón y la misión de Juan pasan por un momento crítico y que necesita exponer al Señor esta profunda inquietud suya. Puede pasar por su mente la eventualidad de que se haya equivocado señalando como Mesías a quien podía no serlo. Ciertamente en su caso no había experimentado aquel rasgo que Isaías atribuía al Mesías: "la liberación de los prisioneros" (cf Is 61,1). Cristo le responde con hechos que ven los discípulos de Juan y con palabras que desea le transmitan éstos a su precursor en la prisión. Y la última frase de su respuesta ("Bienaventurado quien no se escandaliza de mí" Lc 7,18) parece confirmar el momento crítico por el que pasa el Bautista encarcelado.

Cuando se van los discípulos de Juan, Jesús empieza a alabar a su precursor ante la multitud. El Bautista no es una caña agitada por el viento ni un hombre muelle que vive en los palacios de los reyes. Es profeta y más que un profeta: es el mensajero que ha preparado el camino a Jesús. Es el mayor entre los nacidos de mujer (cf Lc 7,24-28). Y defiende la misión del Bautista, criticada y rechazada por los fariseos (cf Lc 7,29-35).

Entre las lecciones que contiene este pasaje podemos señalar algunas importantes.

La vocación de las personas pasa necesariamente por distintas pruebas en los diversos momentos de la vida y sólo acaban cuando ésta concluye. En el pasaje comentado la última prueba del Bautista es su encarcelamiento por parte de Herodes. Las pruebas suelen ser proporcionales a la misión encomendada. Y duelen más cuanto más parece callar Dios o mantenerse como lejano y al margen de los acontecimientos. Estas pruebas hacen emerger en el corazón las preguntas fundamentales de la vida y afectan al sentido de la misma y de la misión encomendada.

Descubren a los hombres-caña, sin raíces, agitados por el viento de la fragilidad y de la inconstancia humana según los describe san Ambrosio (340? - 397), obispo de Milán, en el siguiente párrafo:

"Con razón el Señor compara [a los hombres carnales] con la caña: no llevan ningún fruto de sólida justicia; envanecidos con ornamentos mundanos, sembrados de nudos, haciendo un ruido vacío, sin utilidad alguna, frecuentemente nocivos, buscan dentro la vanidad y fuera las apariencias. Somos cañas, sin raíces vigorosas para afirmarnos... Las cañas se encuentran bien en los ríos, y a nosotros nos recuerdan la caducidad y fragilidad del mundo."[15]

Jesús nunca es ajeno a ninguna prueba de sus hijos ni se mantiene distante de quien sufre. No se le escapa ninguna pena y su respuesta da en el clavo y nunca llega tarde. Aporta la luz y la fortaleza necesaria para ver el sentido sobrenatural de la prueba y para mantenerse fiel incluso en los peores momentos -aquí hasta la decapitación del Bautista-, con la íntima certeza de su compañía y de su consuelo.

Cuando Juan, el hombre probado en este pasaje, y quienes rodean al Señor o siguen al Bautista se hallan perplejos o sufriendo, Dios sale al paso y defiende a su precursor de las malas

---

[15] S. AMBROSIO, *Exposición sobre el evangelio de Lucas, 5,* 104.

interpretaciones de los fariseos y alaba su conducta con gran franqueza y objetividad divina.

Una última lección: quien se mantiene cercano al Señor y fiel a su mensaje siempre sale triunfando. Dios puede llevarlo hasta el límite en las pruebas, pero al final siempre lo libra.

V. LOS APÓSTOLES

Jesús trata de un modo muy particular al grupo de sus íntimos, a sus apóstoles. Por lo mismo, su relación con ellos es especial, aunque menos íntima que la mantenida con su Madre y con Juan Bautista.

Ya había tenido alguna relación con algunos de ellos en la primera pesca milagrosa (Lc 5,1-11). Entonces llamó al núcleo de los doce, formado por Pedro, Santiago y Juan y algunos otros compañeros que, atracando las barcas en tierra, "lo dejaron todo y le siguieron" (Lc 5,11).

Ese primer llamado se confirma posteriormente con un momento más solemne: la cuidadosa elección individual por parte del Maestro después de una noche de oración en la montaña (cf Lc 6, 12-19). Esta elección supone una separación más definitiva de cada uno de los designados para estar con él y formarlos con su ejemplo y su palabra durante los tres años de su vida pública.

Todos los elegidos son personas sencillas, de una extracción social humilde. Y con razón, según comenta san Ambrosio (340 - 397?):

Considerad bien el consejo de Dios. No quiso escoger para la predicación del evangelio a los sabios, a los ricos ni a los sabios, sino a los simples pescadores y publicanos, para que no se creyese que los fieles habían sido persuadidos con la ciencia, ganados con las riquezas, o atraídos por el poder y la autoridad. Y para manifestar a toda la tierra que tan grandes progresos no se debían a los razonamientos de la elocuencia, sino a la fuerza de la verdad.[16]

La relación diaria de cercanía e intimidad va a ser determinante. Jesús pasa con ellos todas sus jornadas apostólicas. Los lleva consigo en todos sus desplazamientos por Galilea, Samaria y Judea. Predica el mensaje del reino en su presencia empleando en ocasiones parábolas cuyo sentido profundo tiene luego el cuidado de explicarles cuando se hallan ellos solos, bien porque se lo soliciten ellos, bien porque él desea prepararlos mejor para el futuro. Realiza ante sus ojos los distintos milagros que jalonan su vida pública y dejan entrever algo de su naturaleza divina. Sólo los deja solos cuando se retira a dialogar con su Padre.

Todas estas situaciones las aprovecha el Señor para conocerlos y dárseles a conocer, poner a prueba su fe y su confianza, irles revelando su intimidad.

De estas páginas podemos destacar distintos aspectos de interés para nuestras vidas de seguidores de él o de representantes suyos en algún grado ante otras personas.

---

[16] S. AMBROSIO, *Sermones*, l. 5, c. 6.

Podemos admirar, en primer lugar, la prudencia en la elección de los doce. Es el Señor quien elige y lo hace sin precipitarse y después de dialogarlo ampliamente con su Padre. Por lo mismo, no selecciona a cualquiera, como lo vemos en otro pasaje del mismo Lucas (cf Lc 9,57-62). Allí el Señor, ante la generosidad irreflexiva de tres que buscan seguirlo por propia iniciativa, les hace caer en la cuenta de que no basta un fervor inicial, sino que han de caer en la cuenta de las actitudes profundas que requiere toda auténtica vocación: desprendimiento de las cosas y de las personas, sobre todo de las más queridas como son los propios familiares; jerarquía de valores que no anteponga nada a la posible llamada; fidelidad y constancia para no mirar atrás una vez emprendido el camino.

San Juan Crisóstomo (349? - 407) comenta así la elección de los doce en orden a la misión que les iba a encomendar:

"Cristo pudo liberar al género humano [de todos los males]; no sólo a los romanos, sino también a los persas y a los bárbaros. Y no los liberó con el uso de las armas, del dinero, ni con ejércitos o combatiendo batallas, sino primeramente con once varones mediocres, ignorantes, débiles, rudos, pobres, sin vestido ni calzado y cubiertos por una sola túnica".[17]

El núcleo de la relación del Señor con los apóstoles se centra, sobre todo, en el trabajo de formación paciente y no

---

[17] S. JUAN CRISÓSTOMO, *Contra los judíos y paganos*, 1: PG 48, 814.

masificada que Jesús emprende con ellos. Es una labor lenta que ha de bajar a cada corazón para iluminar sus inteligencias, transformar esas conciencias, orientar esas libertades, dar un cauce positivo y generoso a esos sentimientos. La convivencia diaria, la predicación del Señor, sus milagros, los diálogos que mantiene con grupos o individuos a lo largo de sus jornadas apostólicas serán las situaciones privilegiadas por las que Jesús irá educando a sus apóstoles.

Llama también poderosamente la atención la confianza que el Señor muestra en las capacidades de sus elegidos. Al elegirlos y designarlos por su nombre conocía las cualidades y las posibilidades de cada uno. Les ha impartido distintas lecciones en las páginas del evangelio. Y han de aprender no sólo viendo al Maestro, sino actuando ellos mismos en primera persona, no desde el primer día, sino después de algún tiempo. Esta decisión del Maestro supone confianza en los apóstoles. Y el Señor la tiene. La podemos palpar en la misión breve que les encomienda después de algún tiempo de formación (cf Lc 9,1-6). Ha llegado el momento de encomendarles un tarea apostólica precisa (cf Lc 9,1-6): han de predicar y curar. Para ello han de ir por el camino libres y expeditos, permanecer en las casas que los acojan, dejar las ciudades que no los acepten.

La misión no será fácil. Las personas que se encuentran con ellos, viéndolos tan normales, no descubren de inmediato a Dios que los envía y fácilmente pueden pensar lo que el narrador de Barioná piensa sobre los ángeles en un momento de esa buena obra dramática del primer Sartre:

(El narrador) Seguro que habéis encontrado ángeles en vuestra vida. A lo mejor los hay entre vosotros. Y bien, ¿habéis visto alguna vez sus alas? Un ángel es un hombre como vosotros y como yo, pero el Señor ha extendido su mano sobre él y le ha dicho: mira, te necesito; por esta vez, harás de ángel... Y el buen hombre se mezcla entre los demás, completamente asombrado, como Lázaro el resucitado entre los vivos, y tiene una apariencia algo extraña, un aspecto que no es ni chicha ni limoná, porque no se acostumbra a ser ángel. Todos desconfían de él, pues por medio del ángel llega el escándalo. Y os voy a decir lo que pienso: cuando uno encuentra a un ángel, a uno de verdad, empieza creyendo que es el Diablo.[18]

Ellos parten y ejercitan su buena voluntad. No defraudan las expectativas de Jesús. Son fieles a sus consignas y vuelven alegres de sus primeras experiencias apostólicas. Ya no se han limitado a ver a su Maestro predicar, curar a enfermos o liberar a endemoniados. Ellos mismos han sido quienes han predicado, curado y exorcizado a algunos poseídos por el demonio.

Incluso tienen la valentía, algunas páginas más adelante, de preguntar al Señor por el premio que tiene reservado a su

---

[18] SARTRE J.P., *Barioná,* Voz de papel, Madrid 2004, Segundo cuadro, final, p. 86

fidelidad en el seguimiento del Maestro (cf Lc 18,28-30). Pedro será el portavoz de esta inquietud del grupo y recuerda al Señor que han dejado todo lo que tenían y lo han seguido. San Lucas no explicita lo que el Señor intuye y sí escribe san Mateo: "¿Qué tendremos?" (Mt 18,27).

Tampoco Jesús los defrauda en su respuesta a Pedro: "En verdad os digo que ninguno que haya dejado casa, mujer, hermanos, padres o hijos por amor al reino de Dios dejará de recibir mucho más en este siglo y la vida eterna en el venidero" (Lc 18,28-39).

La intimidad de esta relación con los doce llega a su máxima expresión en la Última Cena. Dos de ellos, Pedro y Juan, han preparado el lugar según las consignas precisas del Maestro (cf Lc 22, 7-13). En ese ambiente les revela Jesús su ardiente deseo de comer esa pascua en su compañía y antes de padecer (cf Lc 22,14-15). Tiene razones para desearlo así: ya no la comerá hasta que la pascua se cumpla en el reino de Dios (cf Lc 22,16).

Ahora que están más preparados puede instituir la eucaristía (cf Lc 22,17-23), preanunciada por la multiplicación de los panes de la vida pública, dejarles una lección más de la humildad del verdadero seguidor del Señor (cf Lc 22,24-27) y prometerles de modo más solemne la participación definitiva en su reino donde comerán y beberán con él (cf Lc 22,28-30). Los apóstoles, emocionados y algo cansados, lo acompañan a Getsemaní (cf Lc 22,39-46) y allí lo abandonan cuando llega el momento de su prisión (cf Lc 22,47-53).

Una vez resucitado se aparece a los once (cf Lc 24,36-43), los pacifica y consuela, les da pruebas de que es él pidiéndoles que lo palpen y lo vean. Ellos, gozosos y admirados, se muestran aún incrédulos. Para convencerlos de que es él, Jesús incluso come delante de ellos y les deja unas últimas instrucciones antes de subir al cielo (cf Lc 24,44-49).

Enumero brevemente algunas lecciones de estos pasajes de san Lucas que nos narran la pasión, muerte y resurrección de Jesús y pueden resultarnos útiles para nuestra meditación y predicación.

La sabiduría del plan de Dios se manifiesta de modo progresivo, según la capacidad que los apóstoles tienen de comprenderlo. Por lo mismo, ha sido necesario vivir con ellos unos tres años y crear un contexto espiritual y humano que permita acoger y valorar dos de los mayores dones que Jesús reserva a sus apóstoles y, posteriormente, a todos sus seguidores: la eucaristía y el valor redentor de la cruz. Incluso este segundo don no lo comprenderán durante el triduo sacro y será necesaria la venida del Espíritu Santo para iluminar esta parte -sin duda la más difícil- del mensaje redentor del Hijo.

El Señor conoce la debilidad de los apóstoles y no les reprocha su abandono en los momentos más dolorosos de la pasión. "Él sabe de qué estamos plasmados todos y se acuerda de que somos polvo" (Sl 103,14). Esta verdad ha de iluminarnos y consolarnos en nuestros momentos de abandono y de traición a la amistad de Jesús. Basta que, en esos momentos previstos por él, conservemos en el fondo de nuestra conciencia su mensaje, no lo perdamos de vista o lo sigamos aunque sólo sea a lo lejos como san Pedro, nos dejemos interpelar por su mirada silenciosa y redentora y, reconociendo nuestras faltas, lloremos nuestra traición (cf Lc 22,54-62).

Jesús resucitado busca a los suyos para pacificarlos, alegrarlos y darles pruebas de su resurrección. Comprende su debilidad, su vergüenza, su temor y su confusión. Los halla reunidos en el cenáculo, el sitio en que habían celebrado la pascua y sido testigos de la institución de la eucaristía. El Señor no viene a juzgarlos ni a condenarlos. Jesús significa "Salvador" y sobre todo en este momento realiza esta misión de cara a ellos. Para ello su presencia les devuelve la paz de su perdón, los alegra con su resurrección y los reconquista para un nivel superior de fidelidad a la misión encomendada.

VI. LOS DISCÍPULOS

Hay otro grupo más numeroso con el que Jesús se relaciona de un modo también particular, sin ser todavía la muchedumbre del pueblo. Son sus discípulos. San Lucas indica en algún momento su número: son setenta y dos, designados por Jesús y enviados de dos en dos a las ciudades y lugares adonde él iría después (cf Lc 10). Y, aunque superan en cantidad a los doce apóstoles, son, no obstante, para el Señor, su "pequeño rebaño" (Lc 12,32).

'Discípulo' traduce la palabra griega 'mazetés', un adjetivo verbal que significa 'el que se dedica a aprender'. Este término lo aplica el evangelio a los hombres que, elegidos por el Señor, lo siguen en sus desplazamientos, escuchan su predicación, asimilan sus enseñanzas y preparan el camino al evangelio que anunciará el mismo Cristo.

Benedicto XVI ilumina con su profundidad acostumbrada el significado del seguimiento de Cristo de estos discípulos:

¿Qué quiere decir en concreto «seguir a Cristo»? Al inicio, en los primeros siglos, el sentido era muy sencillo e inmediato: significa que estas personas habían decidido dejar su profesión, sus negocios, toda su vida para ir con Jesús. Significaba emprender una nueva profesión: la de discípulo. El contenido fundamental de esta profesión consistía en ir con el maestro, confiar totalmente en su guía. De este

75

modo, el seguimiento era algo exterior y al mismo tiempo muy interior. El aspecto exterior consistía en caminar tras Jesús en sus peregrinaciones por Palestina; el interior, en la nueva orientación de la existencia, que ya no tenía sus mismos puntos de referencia en los negocios, en la profesión, en la voluntad personal, sino que se abandonaba totalmente en la voluntad de Otro. Ponerse a su disposición se había convertido en la razón de su vida. La renuncia que esto implicaba, el nivel de desapego, lo podemos reconocer de manera sumamente clara en algunas escenas de los Evangelios.

Así queda claro lo que significa para nosotros el seguimiento y su verdadera esencia: se trata de un cambio interior de la existencia (...). Exige entregarme libremente al Otro por la verdad, por el amor, por Dios, que en Jesucristo, me precede y me muestra el camino (...). Hay que tener en cuenta que verdad y amor no son valores abstractos; en Jesucristo se han convertido en una Persona. Al seguirle a Él, me pongo al servicio de la verdad y del amor. Al perderme, vuelvo a encontrarme.[19]

También a los discípulos Cristo les dedica tiempo y atención particulares. Uno de los primeros pasajes en que aparecen son introducidos por los fariseos, que preguntan extrañados al Maestro por qué sus discípulos no ayunan cuando sí lo han hecho los de Juan (cf Lc 5,33-39).

---

[19] BENEDICTO XVI, *Homilía del Domingo de Ramos,* 1 de abril de 2007.

1. Los discípulos de Jesús y el ayuno (Lc 5,33-39)

Una primera nota de esta relación de Cristo con los discípulos es que defiende su conducta ante los ataques de los fariseos. Y Jesús aduce dos razones: En primer lugar, los discípulos
están celebrando las bodas del Esposo, son los amigos de éste y
no pueden ayunar. Días vendrán en que les será arrebatado el
Esposo, y entonces ayunarán. En segundo lugar, los discípulos
están inaugurando una nueva etapa en las relaciones de Dios
con el hombre: son paño nuevo que no debe remendar el vestido viejo de las costumbres religiosas del Antiguo Testamento;
son vino nuevo que no se debe poner en los odres viejos de las
tradiciones judías.

Y les marca una consigna: ellos, el vino nuevo, han de llenar
los odres nuevos. Podemos interpretar que estos odres nuevos
son los hombres y mujeres que el Padre ha preparado en todas
las naciones para recibir, conservar y disfrutar el vino nuevo
del evangelio. Ellos, el paño nuevo, han de saber confeccionar
el vestido nuevo del evangelio que ha de engalanar a todos los
invitados a las bodas que prepara su Señor.

2. Misión y vuelta de los setenta y dos (Lc 10,1-20)

Una segunda nota de esta relación de Cristo con los discípulos es que también a ellos, como a los apóstoles, los compromete en primera persona en su misión redentora (cf Lc 10,1-20).
No los quiere como simples acompañantes ni rendidos admi-

radores. Le interesa colmar la inquietud que mostraban en su inicial acercamiento a él y ser más eficaz en su propia tarea multiplicando los predicadores. También ellos lo han visto sanar a enfermos y predicar a las multitudes. Tienen ya unos conocimientos y una experiencia que han de invertir en bien de otros.

Por ello, para comprometerlos más con él hace varias cosas: primero los envía de dos en dos, consciente de los beneficios que derivan de la compañía de ideales y de los peligros que pueden surgir en la misión y que se pueden más fácilmente vencer cuando se va acompañado. Luego los motiva ponderándoles la abundancia de la mies y la escasez de obreros. Les pide que rueguen al dueño de la mies para que envíe obreros a su mies. Les advierte de la dificultad y complejidad de la misión: encontrarán lobos y han de actuar como corderos. Y les pide también un alto grado de desprendimiento para ir 'más libres' por el camino, seguros de que tendrán el 'salario' que necesitan como digna retribución a su trabajo. Y les indica en síntesis dos veces el núcleo de su mensaje: "El reino de Dios está cerca de vosotros" (Lc 10,9.11).

Y, ante la magnitud y novedad de esta difícil empresa, los consuela y les abre los ojos diciéndoles: "El que a vosotros oye, a mí me oye, y el que a vosotros desecha, a mí me desecha" (Lc 10,16).

San Cirilo de Alejandría (376 - 444) reflexiona así sobre la difícil relación que los corderos del Señor tendrán con los lobos del mundo, en un diálogo que entabla el santo doctor con el Buen Pastor:

"¿Por qué envías a los santos apóstoles como corderos y les mandas mezclarse con los lobos y que se acerquen a ellos voluntariamente? ¿No es un peligro manifiesto? ¿No es colocarlos como víctimas ofrecidas a sus ataques? ¿Cómo puede prevalecer el cordero sobre el lobo? ¿Cómo el manso [cordero] vencerá a la más salvaje de las fieras? Así será, dijo. En efecto, me tendrán a mí como pastor todos, pequeños y grandes, plebeyos y príncipes (...) Yo estaré con vosotros, os ayudaré y os guardaré de todo mal. Yo domaré a las fieras salvajes, yo convertiré a los lobos en corderos, yo haré de los perseguidores una ayuda para los que sufren persecución"[20]

Ellos parten con presteza a realizar su misión y vuelven llenos de alegría porque hasta los demonios se les sometieron en nombre de Jesús. Jesús los escucha con atención y los invita a elevar sus miras: el mayor motivo de alegría no es la sumisión de los demonios, sino el que el propio nombre esté escrito en el reino de los cielos (cf Lc 10,17).

De entre las posibles lecciones de este pasaje destaco dos: la cercanía de Jesús que engendra confianza: también ellos son designados por Cristo seguramente entre muchos otros que lo seguían para escucharlo y aprender de él esta nueva doctrina. Y él ha puesto en sus corazones la gracia de responder con generosidad a esa designación que es una vocación nueva para ellos.

---

[20] S. CIRILO DE ALEJANDRÍA, *Comentario al evangelio de Lucas*, 61.

Además, van porque él -que los conoce- los envía, no porque a ellos se les haya ocurrido como cosa propia. Por lo tanto, no deben temer sino confiar plenamente en el Maestro y contribuir así en la predicación del reino de Dios.

Y las consignas concretas con que él envía: lejos de ser una coacción a su libertad o a su iniciativa son el cauce fecundo para que su misión y la colaboración con el Maestro se realicen del mejor modo. Él es el Maestro, el amo de la mies; ellos, los discípulos y los obreros en esa mies divina. Él conoce el plan y así se lo transmite con ciertos pormenores que son garantía de fecundidad. ¡Cuánto hemos de agradecer las 'consignas concretas' que nos deja Dios en toda la sagrada escritura: los mandamientos, las bienaventuranzas, el sermón del monte, el amor a los enemigos, el salir a la misión apostólica acompañados...! Son fruto de la experiencia y consejos que le dicta su amor por nosotros. Son el modo de 'estar con él y no contra él, de recoger con él y no desparramar' (cf Lc 11,23).

3. Confianza en la Providencia (Lc 12,22-34)

A sus discípulos el Señor no los quiere preocupados por el dinero ni presas de la avaricia, como acaba de comentar en el pasaje anterior (cf Lc 12,13-21). Por ello les trata con cierta amplitud el tema de la confianza en la Providencia: no preocuparse por la vida (la estatura, el pelo...), el alimento o el vestido (cf Lc 12,22-23), preocupaciones de las gentes del mundo (cf Lc 12,30). La ocupación primera que debe centrar su vida es la búsqueda del reino; lo demás se les da por añadidura. Más aún, Jesús los invita a vender los bienes, a darlos en limosna y a atesorar así para el cielo: poniendo allí su tesoro, tendrán allí su corazón (cf Lc 12,31-34).

De este modo les hace varios favores: les enseña a poner toda su confianza en el amor providente del Padre, que se preocupa de alimentar a los cuervos, de hacer crecer y de vestir a los lirios del campo, y hasta de determinar el número de cabellos de cada persona. Han de aprender a vivir como él, que no tiene dónde reclinar la cabeza (cf Lc 9,58), remitiendo al Padre toda preocupación por los bienes materiales, pues 'vuestro Padre sabe que necesitáis estas cosas' (cf Lc 12,30). Al invitarlos a vender sus bienes y a darlos a los pobres los libera de las preocupaciones de la administración de los bienes de la tierra que fácilmente ocasionan individualismos egoístas y llenan el alma de envidia y la voluntad de un deseo fatuo de ostentación vanidosa y huera. En términos de Antonio Machado, el Señor quiere a sus discípulos: 'ligeros de equipaje, casi desnudos como los hijos de la mar'[21]. El tercer favor que les hace es el más grande: les enseña a apuntar a lo esencial: la búsqueda del reino de Dios, considerando el resto como añadidura. Así les da una jerarquía de valores divinamente objetiva y definitiva que los hace señores y no esclavos de las cosas y los libera para la misión.

---

[21] MACHADO Antonio, *Campos de Castilla: Retrato,* en: Poesías completas, Espasa-Calpe, Madrid 1971, p. 77

Esa confianza en la Providencia la había asimilado santo Tomás Moro, quien desde la cárcel y ante la dificultad suprema de su martirio próximo escribe así:

Aunque estoy bien convencido, mi querida Margarita, de que la maldad de mi vida pasada es tal que merecería que Dios me abandonase del todo, ni por un momento dejaré de confiar en su inmensa bondad. Hasta ahora, su gracia santísima me ha dado fuerzas para postergarlo todo: Las riquezas, las ganancias y la misma vida, antes que prestar juramento en contra de mi conciencia (...)

No quiero, mi querida Margarita, desconfiar de la bondad de Dios, por más débil y frágil que me sienta. Más aún, si a causa del terror y el espanto viera que estoy ya a punto de ceder, me acordaré de San Pedro cuando, por su poca fe, empezaba a hundirse por un solo golpe de viento, y haré lo que él hizo. Gritaré a Cristo: Señor, sálvame. Espero que entonces él, tendiéndome la mano, me sujetará y no dejará que me hunda (...)

Finalmente, mi querida Margarita, de lo que estoy cierto es de que Dios no me abandonará sin culpa mía. Por esto me pongo totalmente en manos de Dios con absoluta esperanza y confianza (...)

Ten, pues, buen ánimo, hija mía, y no te preocupes por mí, sea lo que sea que me pase en este mundo. Nada puede pasarme que Dios no quiera. Y todo lo que él quiere, por muy malo que nos parezca, es en realidad lo mejor.[22]

4. El escándalo (Lc 17,1-3)

Un breve pasaje posterior nos ofrece otra instantánea de la relación de Cristo con sus discípulos, a quienes busca educar y prevenir de distintos peligros. El tema es el escándalo, necesario en la vida de los individuos y de las sociedades, y que cada persona ha de buscar evitar.

Este pasaje de tres versículos nos permite palpar en varios detalles el amor de Cristo a sus discípulos. En primer lugar, Jesús quiere realistas a sus discípulos: no deben extrañarse ni de que haya escándalos ni rasgarse por ellos las vestiduras. Son consecuencia de nuestra naturaleza humana caída, de sus tendencias de soberbia y de sensualidad, de la debilidad e inconstancia de nuestra voluntad, de la ceguera de nuestras pasiones, de las contradicciones íntimas entre nuestras aspiraciones al bien y las fuertes tendencias interiores al mal, del ambiente que facilita y parece condonar todo exceso...

Pero, en segundo lugar, llama su atención y los previene para no ocasionarlos, indicándoles que es mejor morir antes que escandalizar a un niño. La razón parece clara: el escándalo de un niño penetra de tal modo en su psicología y en toda su

---

[22] S. TOMÁS MORO, *Cartas,* A su hija Margarita

historia futura que le roba la felicidad, su confianza innata en los mayores, su inocencia y lo condiciona negativamente ante el mundo de los adultos y sus realidades marcándolo con un sello difícilmente borrable.

Jesús quiere, pues, que sus discípulos observen una conducta intachable y ejemplar en todo como parte esencial del anuncio del reino. De otro modo el discípulo quedaría desacreditado por un comportamiento reprobable en cualquier hombre y más en él, y el mensaje que predica perdería buena parte de su credibilidad, proclamado por 'una mentira que dice verdades'.

Esta advertencia del Señor tiene validez perenne, pero hoy, en un mundo que facilita mucho todo tipo de contactos y relaciones y con tanta desinhibición, parece más urgente y necesaria por las ocasiones que buscan o aprovechan mentes obsesivamente pervertidas.

VII. LOS PECADORES

Este capítulo de las relaciones de Jesús con los pecadores es particularmente rico en pasajes e intuiciones, más en el tercer evangelista, conocido como "el escriba de la mansedumbre de Cristo". Esa mansedumbre es una manifestación del amor multiforme de Dios que aquí se hace misericordia, según iremos constatando en cuatro pasajes seleccionados, de entre los muchos posibles.

1. La pecadora arrepentida (Lc 7,36-50)

El pasaje con que iniciamos narra una historia real, ocurrida en la primera parte de la vida pública del Señor, durante su predicación en Galilea. Conocemos los hechos: un fariseo llamado Simón lo invita a comer a su casa (Lc 7,36) y va también una pecadora para ser perdonada por Jesús (cf Lc 7, 37-38). El fariseo juzga con dureza a la mujer y al Señor (Lc 7, 39) que le da una lección de perdón y de benignidad en los juicios (Lc 7,41-50).

Analizando la persona de Jesús advertimos distintas facetas que nos interesa destacar.

Una primera es la aceptación de la invitación del fariseo. Posiblemente éste piensa que será una ocasión para lucirse y aparecer ante el Señor como una persona rica y magnánima e incluso abierta a la nueva doctrina de este profeta. El Señor, aun a costa de que puedan tacharlo de que come con los pecadores, aprovechará esta ocasión con un fin netamente sobrenatural:

tiene una cita con una mujer insatisfecha de su conducta y decidida a cambiar de vida; y tomará ocasión de este hecho para revelar la relación entre el amor y el perdón.

Una segunda es la fina actitud de Jesús ante los gestos de la pecadora: no le pasa desapercibido ninguno de ellos: el ungüento caro con que ungirá sus pies, el lugar que elige y que es propio de servidores, las lágrimas y los besos con que baña y venera sus pies. El Señor intuye el sincero arrepentimiento que llena el corazón de la mujer, la deja hacer y durante la mayor parte del tiempo no le dirige ninguna palabra como señal, a la vez, de respeto por sus gestos, de libertad concedida y del sentido divino de la oportunidad.

Una tercera observación sobre Jesús es su defensa del pecador arrepentido: no es necesario que lo vea atacado exteriormente con palabras u otros gestos. Le basta advertir con su ciencia divina en el interior del corazón de Simón esa destrucción de un prójimo débil y sincero como es esta mujer y, de paso, también la destrucción de su propia misión de Mesías pues, según Simón, Jesús no llega siquiera a la categoría de profeta. Y el Señor es, en medio de un gran respeto, muy claro y tajante con los juicios temerarios del fariseo: le plantea primero una breve parábola muy iluminadora sobre la deuda y el perdónv, defiende el amor que encierra cada uno de los gestos silenciosos de la mujer y alude al correspondiente desamor que revelan las faltas de atención del anfitrión con el divino invitado; además, pone en relación directa el perdón y el amor. Y llega al momento cumbre de la defensa del pecador cuando perdona a la pecadora y la despide en paz.

Una última observación sobre este pasaje se refiere a la mujer y a los movimientos interiores de su corazón. Se ha enterado de la presencia del maestro en esta casa, decide acudir allí sin ser invitada, vence el respeto humano comprensible por su conducta escandalosa, muestra sin prisas y como mejor le sugiere su corazón el amor al Maestro y el dolor por su comportamiento equivocado, tiene la humildad de aguardar el tiempo que sea necesario hasta escuchar de labios de Jesús el perdón que implora. Su conducta en la casa de Simón nos descubre también que, cuando los gestos de amor son sinceros, son más elocuentes que las palabras y éstas salen sobrando. Por último, aprendemos también que siempre es posible el arrepentimiento y la curación de las propias heridas, según la atinada reflexión de Fray Luis de Granada (1504 - 1588):

> Y si por ventura, como acontece en las batallas, otra vez fueres herido, ni aun entonces has de desmayar, acordándote que ésta es la condición de los que pelean varonilmente, no que nunca sean heridos, mas que nunca se rindan a sus contrarios. Porque no se llama vencido al que fue muchas veces herido, sino el que, siendo herido, perdió las armas y el corazón. Y siendo herido, luego procura de curar tu llaga.[23]

La asidua meditación de este pasaje incrementa nuestra confianza en Jesús, el Gran Perdonador. Nos invita a valorar cada vez mejor la cercanía de su amor, su tacto en el trato con cada uno de nosotros, pecadores. Nos enseña a comprender

---

[23] Fr. LUIS DE GRANADA, *Guía de pecadores*, c. 3

mejor su silencio, en ocasiones prolongado y doloroso para nuestro corazón. Nos estimula a mostrarle como nos lo sugiera mejor nuestro corazón el dolor de nuestro arrepentimiento por las ofensas mayores o menores a su amor que creará y aprovechará múltiples oportunidades para el encuentro con su perdón salvador.

2. La oveja perdida (Lc 15,1-7)

Los siguientes pasajes son tres parábolas de las más conocidas del Señor, llenan todo el capítulo 15 del evangelio de Lucas y constituyen una parte central de la relación de Jesús con los hombres.

La primera parábola va precedida de un versículo que enmarca el contenido de las tres. Muestra el contexto de oposición y crítica de los fariseos y escribas a la conducta de Jesús que "acoge a los pecadores y come con ellos" (Lc 15,1). Conocemos el contenido de la parábola, cuya síntesis es que un pastor va a buscar a la oveja perdida hasta encontrarla y festeja el hallazgo.

Las aplicaciones espirituales son variadas y ricas. Me fijo en tres de ellas.

Los fariseos y escribas no deberían escandalizarse por la actitud de Jesús ante los pecadores. El Señor sólo está siendo fiel al significado de su nombre: "Salvador". Ha venido a salvar lo que estaba perdido. Por lo mismo, sale en su búsqueda.

Además, ya les había dicho él en este mismo evangelio cuando aceptó acudir al banquete que le preparó Leví: "No tienen necesidad de médico los sanos, sino los enfermos" (Lc 5,31).

Jesús busca la oveja perdida *hasta hallarla*. No desistirá en su empeño aunque tenga que afrontar las inclemencias del tiempo, escalar por rocas escarpadas, recorrer grandes distancias, dormir a la intemperie... Esta verdad de la vocación de nuestro Salvador debe infundir en nuestro corazón un gran consuelo, incluso en nuestros mayores desvaríos: Dios con todo su poder anda buscándonos y recorrerá todos los terrenos hasta dar con nosotros. Está acostumbrado a nuestros desplantes y persevera en su sagrado intento de encontrarnos. Así lo constata Julien Green (1900 - 1998) en el siguiente texto:

> Dios nos sigue paso a paso. Tú quizá no te das cuenta. Hay veces en que hace falta decirle que se vaya, como si fuese un mendigo, que se aleja un momento, pero luego retorna de nuevo. Algunos días no se logra despedirlo. "Vete, Señor. Deja que yo me divierta. Quiero ir a acariciar aquel bello cuerpo que tanto deseo, aunque después deba arder en llamas. Tú me aburres, Señor. Déjame." Pero no se va. Está acostumbrado a los insultos.[24]

Jesús carga alegre sobre sus hombros a la oveja perdida. Así es el amor misericordioso de Dios con el pecador según nos lo

---

[24] GREEN Julien, *Ciascuno la sua notte*, p. 289

transmite san Lucas. No lo castiga ni lo reprende. Lo ha expresado ya él también en algún pasaje anterior de este evangelio: Dios no envió a su Hijo al mundo para juzgar al mundo, sino para salvarlo (cf Lc 9,56; Jn 12,47). Comprende y ve su cansancio, su hambre, su desvarío y sus posibles heridas. Orienta todo su amor positivamente a aliviar el dolor de la oveja perdida.

3. La dracma perdida (Lc 15,8-10)

Después de hacernos ver el amor de Dios al pecador a través de una parábola que tiene como protagonista a un animal (la oveja), Jesús continúa sus lecciones sobre la misericordia divina con una segunda parábola que tiene como protagonista un objeto perdido (la dracma). Quiere así transmitirnos san Lucas el esfuerzo ingenioso del Señor para hacernos comprender cómo Dios emplea todos los recursos que pueden servirle para su designio de médico divino que busca sanar a los enfermos. En síntesis, esta breve parábola nos presenta a una mujer que pierde una moneda, la busca hasta hallarla y se alegra con sus amigas por haberla encontrado.

También aquí las aplicaciones espirituales son aleccionadoras. Enumero algunas.

El amor de Jesús al pecador tiene todo el ingenio de una mujer que ha perdido una moneda y hace todo lo posible para encontrarla. No le importa el tiempo ni el trabajo que esta búsqueda le lleve. Emplea la memoria, la luz de la candela y la escoba y recorre todas las estancias de la casa porque en cualquier rincón puede hallar la moneda que sabe que le fata.

Jesús, sin un alma creada por él y alejada de él, es un pobre que no puede permitirse el lujo de prescindir de esa 'moneda divina', preciosa como un tesoro por el amor de Dios que encierra y por los negocios puede realizar con ella, sumada a otras. Por lo mismo, constata y sufre su pérdida. En consecuencia, invierte el esfuerzo que sea necesario y no ceja hasta alcanzar su objetivo.

4. El hijo pródigo, su hermano mayor y el padre misericordioso (Lc 15,11-32)

La parábola que mejor refleja el amor misericordioso de Jesús al hombre es la de estos dos hermanos. El menor que pide y recibe la parte de su herencia, se va lejos de casa y la malgasta toda para luego pasar hambre y cuidar cerdos; el mayor que, aunque no ha abandonado la casa y ha obedecido al padre, no ha actuado por verdadero amor; el padre de ambos que trata a cada uno como se lo inspira un verdadero amor que sintetiza la ternura y esperanza del corazón materno con la energía paternal que se intuye en la decisión práctica más oportuna ante el hijo menor y ante el hijo mayor.

A través del hijo menor Jesús nos hace ver diversos momentos de la experiencia espiritual del individuo y de la humanidad: la libertad y la dicha inicial en la casa paterna, la riqueza de que a diario puede disfrutar, el carácter inexperto de la juventud, el cansancio de un amor rutinario que no sabe valorar los bienes que tiene, el deseo de aventura y disfrute de una herencia que no le ha costado esfuerzo alguno, la lejanía necesaria para no tener que dar cuenta a nadie de su conducta, las juergas empobrecedoras con amigotes. Descubrimos también que una herencia empleada de ese modo tiene un límite y se acaba, no garantiza la fidelidad de unas falsas compañías, deja a su poseedor solo y empobrecido material y espiritualmente. Advertimos luego cómo pasa necesidad y ha de degradarse a la condición de un trabajo para él humillante (¡cuidar cerdos para un judío, desear saciarse de algarrobas y no poder!). Y captamos el trabajo que, desde esta situación, va realizando el joven en su interior: la añoranza del pan abundante de la casa paterna, la reflexión sobre su actual estado, el propósito de levantarse y volver al padre, la confesión de sus errores al padre, la decisión efectiva, la humilde confesión de su error.

El hijo mayor nos permite descubrir también otras facetas del corazón humano y de ciertas relaciones familiares: es cumplidor y carga con el peso de algunas tareas y responsabilidades del campo, no parece que haya preguntado nunca a su padre por su hermano menor durante toda la ausencia de éste, se enoja y no quiere entrar a casa ante la injusticia paterna -para él evidente- en el modo de tratar a los dos hijos, 'canta' sus servicios a su padre, critica la conducta no de su hermano sino de 'este hijo tuyo'.

Y brilla, sobre todo, el amor misericordioso del padre, reflejo fiel aunque lejano del amor del verdadero Dios, manifestado en Jesús a los hombres. En efecto, el padre en un Dios que escucha, respeta la libertad de su hijo menor, le reparte la herencia y le deja ir aunque sepa que se está equivocando, va a malgastar la herencia y se va a lamentar; le duele la ausencia y por ello *aguarda amoroso* su posible regreso; ve primero cuando el hijo aún está lejos y ya de regreso a casa. Y, sobre todo, acoge, festeja y no guarda rencor sino que *ama más*.

El padre está también al tanto de su hijo mayor y de su reacción ante la llegada del hermano menor y le manifiesta claramente su amor: tiene la iniciativa de salir y de llamarlo cuando no quiere entrar a la fiesta organizada por el regreso del hijo menor, valora la compañía y la obediencia del hijo mayor, le muestra en qué consiste el verdadero amor: *en compartir todos sus bienes* de modo que desaparezcan las barreras entre lo mío y lo tuyo; le intenta hacer ver la oportunidad de la fiesta no tanto por el hijo sino por 'este tu hermano' recobrado vivo.

Desconocemos la reacción final del hijo mayor y la inmediata de los fariseos y escribas. Pero eso no empaña lo más mínimo el amor magnánimo de un Dios misericordioso que "acoge a los pecadores y come con ellos" (Lc 15,1), que invita a su banquete a distintos públicos: los amigos del pastor, las amigas de la mujer, los conocidos y trabajadores de la casa del padre. Este Dios está dispuesto a enviar mensajeros a las calles y a las plazas para que se llene la mesa de invitados, a aguardar que vengan todos, a salir él mismo para invitar al banquete.

Así es el amor de Dios que refleja Jesús a través de esta parábola y las dos precedentes. Su amor es el más desinteresado, el más esperanzado, el más fiel, el más positivo y el que mejor educa el corazón, el que construye con mayor solidez y rehace el interior del hombre. Quiere difundirse a todos y aprovecha toda ocasión para festejar la más mínima muestra de un pecador que, inicialmente perdido, se encamina a casa por su propio pie, como en el caso del hijo menor, o a hombros del pastor, como en el caso de la oveja perdida. Ambos son 'monedas' perdidas y halladas por el amor hacendoso y maternal de Dios que así disfruta y emplea mejor su divino tesoro.

Concluyo este capítulo con una reflexión de san Máximo Confesor (370 - 470), que exalta el poder de la misericordia de Dios con los pecadores:

Por ello clamaba: No he venido a llamar a los justos, sino a los pecadores a que se conviertan. Y también: No tienen necesidad de médico los sanos, sino los enfermos. Por ello añadió aún que había venido a buscar la oveja que se había perdido, y que, precisamente, había sido enviado a las ovejas que habían perecido de la casa de Israel. Y, aunque no con tanta claridad, dio a entender lo mismo con la parábola de la dracma perdida: que había venido para recuperar la imagen empañada con la fealdad de los vicios. Y acaba: Os digo que habrá alegría en el cielo por un solo pecador que se convierta.

Así también, alivió con vino, aceite y vendas al que había caído en manos de ladrones y, desprovisto de toda vestidura, había sido abandonado medio muerto a causa de los malos tratos; después de subirlo sobre su cabalgadura, le dejó en el mesón para que le cuidaran; y después de haber dejado lo que parecía suficiente para su cuidado, prometió dar a su vuelta lo que hubiera quedado pendiente.

Consideró como padre excelente a aquel hombre que esperaba el regreso de su hijo pródigo, al que abrazó porque volvía con disposición de penitencia, y al que agasajó con amor paterno, sin pensar en reprocharle nada de todo lo que antes había cometido.

Por la misma razón, después de haber encontrado la ovejilla alejada de las cien ovejas divinas, que erraba por montes y collados, no volvió a conducirla al redil con empujones y amenazas, ni de malas maneras, sino que, lleno de misericordia, la devolvió al redil incólume y sobre sus hombros.

Por ello dijo también: Venid a mí todos los que estáis cansados y agobiados, y yo os aliviaré. Y también: Cargad con mi yugo; es decir, llama yugo a los mandamientos o vida de acuerdo con el Evangelio, y llama carga a la penitencia, que puede parecer a veces algo más pesado y molesto: Porque mi yugo es llevadero –dice–, y mi carga ligera.[25]

---

[25] S. MÁXIMO CONFESOR, *Epístola II*

VIII. OTROS PERSONAJES CERCANOS: EL CENTURIÓN, MARTA Y MARÍA, EL JOVEN RICO, ZAQUEO

Hay otras personas más o menos cercanas a las que Jesús manifiesta su cercanía y su amor misericordioso en distintos otros pasajes del evangelio de san Lucas. Paso ahora a comentar el encuentro del Señor con algunos de ellos. Tres de estos pasajes son exclusivos del tercer evangelista.

1. El centurión de Cafarnaún (Lc 7,1-10)

El primero de estos encuentros no es exclusivo de Lucas (cf Mt 8,5-13), tiene lugar en Cafarnaún y es con el centurión que manda en esa ciudad de la Galilea de los gentiles.

Está a punto de morir un siervo de este centurión, un personaje extranjero y bienhechor en esa ciudad que administra, pues ha edificado la sinagoga de Cafarnaún. Se entera el centurión de que Jesús se halla en la ciudad, cree en su poder y envía a algunos judíos a solicitarle la curación de su siervo. Y Jesús admira su fe y realiza el milagro pedido.

Entre los puntos dignos de comentario de este encuentro destaco uno en primer lugar. Cristo está siempre disponible para atender a quien solicita su ayuda. No le importa que se la pidan, como ocurre aquí, al terminar su predicación y entrar a la ciudad tal vez para descansar y comer. Esta conducta suya está en sintonía con aquel pasaje de san Juan en que dice Jesús: "Mi Padre actúa continuamente y yo también" (Jn 5,17). No pide credenciales de ningún tipo: profesión, nacionalidad, clase social, méritos personales... Escucha con interés cualquier necesidad que le presentan los que acuden a él. Ha venido a salvar y aprovecha cualquier circunstancia y situación para cumplir la misión que le ha confiado su Padre.

Otro punto destacable del pasaje es su franca admiración de la fe del centurión, conocida por referencias de sus enviados y fruto de una gran humildad del centurión y de la experiencia de quien ejerce honestamente el poder civil en un determinado nivel. Ni siquiera se ven cara a cara él y el centurión. Pero es una buena noticia y el Señor conoce su veracidad y la pondera ante el pueblo que lo sigue: "Yo os digo que no he hallado en Israel una fe como ésta" (Lc 7,9). Nuevamente palpamos el interés con que Jesús sigue y penetra las conductas humanas y el valor pedagógico que atribuye a la alabanza del bien en la educación del pueblo.

En el centurión podemos destacar su generosidad para con el pueblo, palpable en la construcción de la sinagoga de Cafarnaún; la constatación de su impotencia para curar al siervo que se le está muriendo; su confianza en Jesús, Señor de la vida y de la historia y con un poder sobre la salud y la enfermedad al menos como el que el centurión tiene sobre los súbditos que obedecen sus distintas órdenes; su humildad, pues no se considera digno de recibir al Señor en su casa ni de presentarse directamente a Jesús.

Nos hará mucho bien en nuestra oración y en nuestro trato con Dios el recordar y vivir estas actitudes del centurión: la impotencia para solucionar determinados problemas personales o familiares, la confianza en el poder del Señor, la humildad. Conviene, asimismo, que recordemos y agradezcamos a Dios su ininterrumpida disponibilidad para escucharnos y la cercanía con que sigue cada uno de nuestros pasos, sobre todo los que tienen que ver con nuestra vida espiritual y con la atención a las necesidades de nuestro prójimo.

Como muy probablemente nuestra fe será más pobre y débil que la del centurión, no debemos desalentarnos. Lo que nos corresponde es pedirla a Jesús con humilde insistencia, actuarla en las distintas circunstancias de la propia vida y en especial en momentos de prueba y de dificultad, no poner plazos a Dios ni límites de espacio ni de tiempo, dejarnos guiar por el Espíritu Santo que trabaja en nuestra alma de modo variado e ininterrumpido y se vale de las personas y los recursos que él quiere.

2. Marta y María (Lc 10,38-42)

Este pasaje es exclusivo del tercer evangelista y nos presenta una escena breve e íntima: la visita de Jesús a una casa donde le acogen de modo distinto dos hermanas: Marta y María. La primera es una mujer activa y práctica. La segunda atiende al Maestro de otro modo. Las dos son amigas de Jesús, tienen tiempo para él, buscan su cercanía y su contento según el propio temperamento.

En los escasos cinco versículos que integran esta página descubrimos algunas verdades iluminadoras para nuestra vida.

Jesús nos enseña la libertad, confianza y respeto en sus relaciones con la mujer. Es él quien elige entrar en la casa de esta familia amiga que, por referencias de Juan (Jn 11,1 ss), tiene un miembro más, Lázaro, y viven en Betania, cerca de Jerusalén. San Lucas nos refiere en pasaje anterior cercano (Lc 8,13) que algunas mujeres lo siguen en sus desplazamientos y le sirven de sus bienes. La confianza del Maestro se advierte en la tranquilidad con la que permanece en el interior de la casa dedicando parte de ese tiempo a predicar alguna de las verdades de su mensaje y en la cariñosa reconvención a Marta cuando ésta se queja ante Jesús de la pasividad de su hermana María. El respeto se entrevé en el espacio que deja a cada hermana para que se manifieste y actúe como es.

Marta también nos sirve de espejo para analizar y descubrir nuestra relación con Cristo. Nos enseña que hay un modo inmediato y positivo de atender a un huésped y es preparándole una acogida agradable que comúnmente se manifiesta en una comida especial. Pero también aprendemos que en las relaciones fraternas entre hermanas vige un sentido natural de justicia en la repartición equitativa de tareas entre las dos. Y que, por centrar nuestra atención en la comida del huésped, podemos olvidarnos de estar con el huésped mismo. Tal vez esta desatención de fondo es la que le impide ver mejor la actitud 'pasiva' de su hermana y la que le lleva a manifestar esa cierta impaciencia ante el Señor. Afortunadamente es sincera y escucha una verdad que tanto bien nos hace en todas las etapas de nuestra vida: "Marta, Marta, tú te inquietas y te turbas por muchas cosas" (Lc 10, 41). En definitiva, la parte que ella elige es buena: servir en lo material a Jesús. Pero la tensión con que se entrega a ese servicio no es buena consejera y la hace vivir dividida y agitada entre muchas actividades buenas e inmediatas. Y, sobre todo, esa tensión la lleva a juzgar mal a su hermana que, "sentada a los pies del Señor, escucha su palabra" (Lc 10,39).

Muchos debemos agradecer también la actitud de María. De ella aprendemos a valorar la presencia del huésped mismo, a estar con él para prestarle una atención más profunda, a interiorizar tranquilamente sus enseñanzas de acuerdo con una jerarquía de valores definitiva, expresada así por Jesús en defensa de María: "Pocas cosas son necesarias, o más bien una sola. María ha escogido la mejor parte, que no le será arrebatada" (Lc 10,41-42). Su amor es aquí contemplativo y silencioso, entiende que lo más importante es "estar con Jesús" y -pudiéndolo- siempre es coherente. No le importa lo que piensen los demás, empezando por su misma hermana Marta. Esta actitud es la que la mantendrá cada día más fiel en la tranquilidad presente, pero también en las páginas futuras y difíciles del Calvario y en la resurrección del Señor.

Ella ha dejado obrar más a Dios en su vida. Ha aprendido a valorar a fondo la presencia y la palabra del Maestro, en línea con la rica reflexión de san Lorenzo de Brindis (1559 - 1619):

La palabra de Dios es tan rica de todo bien que es como el tesoro de todos los bienes. De ella manan la fe, la esperanza y la caridad. De ella derivan todas las virtudes, todos los dones del Espíritu Santo, todas las bienaventuranzas evangélicas, todas las buenas obras, todos los méritos de la vida, toda la gloria del paraíso.

La palabra de Dios es luz para la inteligencia, fuego para la voluntad para que el hombre pueda conocer y amar a Dios. Para el hombre interior que, por la gracia, vive del Espíritu de Dios, es pan y agua, pan más dulce que la miel y agua mejor que el vino y la leche. Para el alma es un tesoro espiritual de méritos: por ello se llama oro y piedra preciosa. Pero es un mazo contra el corazón obstinado en los vicios. Es una espada contra la carne, el mundo y el demonio para destruir todo pecado.[26]

Nos conviene analizar con detención cuánto hay en nosotros de Marta y cuánto hemos conseguido de María, conscientes

---

[26] S. LORENZO DE BRINDIS, *Opera omnia* 5, 1.

de que en esta vida -y más en nuestra época- tendemos inicialmente con mayor facilidad a seguir los caminos de Marta -que nos pueden llevar a la impaciencia, al activismo y a cierta intolerancia-, que la interioridad de María, aparentemente más despreocupada e incluso aparentemente injusta, pero más definitiva a la hora de relacionarnos con Jesús, -"el único necesario"- y de producir frutos de vida eterna.

Y hemos de pedir al Señor nos conceda saber interiorizar y armonizar los aspectos positivos de ambas hermanas para nuestro propio bien espiritual y para el bien de los demás, primero de los que tenemos más cerca, luego de los más lejanos.

3. El joven rico (Lc 18,18-27)

Conocemos el pasaje que nos narran, además, Mateo (19,16-26) y Marcos (10,17-27): un joven con inquietudes religiosas y buena carta de servicio se acerca a Cristo con deseos de una mayor entrega y le pregunta el camino. Jesús le muestra la senda que lo llevaría a una mayor perfección, pero él se entristece y no da el paso adelante porque era muy rico.

El Jesús que se manifiesta en este encuentro con el joven nos enseña distintas facetas de su relación con el hombre.

Cristo tiene para todo hombre una respuesta, primero común, luego individual, única. Su Padre en el Antiguo Testamento había dejado al judío piadoso las diez palabras grabadas en las tablas de la primera alianza y en la conciencia de cada individuo. Son ellas la primera meta que hay que alcanzar en la ascensión al monte de Dios: "No adulterarás, no matarás, no robarás, no levantarás falso testimonio, honra a tu padre y a tu madre" (Lc 18,20). Sólo cuando se viven estos preceptos son comprensibles los de un ideal individual y más exigente, que es para un número mucho más reducido de personas.

El seguimiento más íntimo de Cristo pasa por un desprendimiento más radical: hay que vender todos los propios bienes (cf Lc 18,22). Y por un actitud de generosidad singular: dar el dinero a los pobres (cf Lc 18,22). Con tal propuesta Cristo no empobrece a quien le sigue: le promete un nuevo tesoro en el cielo (cf Lc 18,22). Así, liberando a su seguidor de los legítimos bienes de este mundo (las riquezas, la familia, la propia voluntad), en realidad no le quita nada y se lo da todo. Le asegura otro tesoro que no acabará cuando concluya esta vida y que inicia en el presente: tendrá desde ahora el ciento por uno en casas, hermanos y hermanas, madres e hijos y campos (cf Mc 10,30); y cambiará su propia voluntad muchas veces inconstante y desviada por la voluntad de Dios, siempre recta y eternamente estable.

La figura del joven nos alecciona también de distintas maneras: nos llama la atención su sinceridad al abordar a Jesús ("Maestro bueno" Lc 18,18), su inquietud por lo definitivo ("¿qué haré para alcanzar la vida eterna?" Lc 18,18), la buena hoja de servicio que presenta a Jesús ("Todos esos preceptos los he guardado desde la juventud" Lc 18,21), su espera de algo distinto y especial pero controlable por él mismo y tranquilizante para su conciencia. Y, sobre todo, nos llega al alma su frustración final ("Él, oyendo esto, se entristeció" Lc 18,23) y la causa: el apego a las riquezas ("porque era muy rico" Lc 18,23).

El último versículo del pasaje nos permite otra reflexión. El salto de los bienes de este mundo a los bienes del cielo es imposible para el hombre. "Pero lo que es imposible a los hombres, es posible para Dios" (Lc 18,27). Por ello, si uno da ese salto confiado en la gracia divina y poniendo la propia parte, el éxito está asegurado pues a Dios le corresponde aportar la parte más importante.

4. Zaqueo (Lc 19,1-10)

Sólo san Lucas nos refiere, dos pasajes más adelante, el encuentro entre Cristo y Zaqueo, jefe de publicanos y de baja estatura. Empieza con el esfuerzo ingenioso de Zaqueo por ver pasar al Maestro, continúa con la recepción de Jesús en su casa y concluye con la propia conversión a una vida más conforme con los ideales que propone su huésped divino.

Si nos fijamos primero en el Señor, vemos distintas facetas de su relación de amor con el hombre. Jesús está entrando en Jericó. Su amor le lleva a buscar al hombre en su ambiente dándole ocasión para el encuentro. No le pasa por alto el esfuerzo de Zaqueo por acercarse. Lo conoce por su nombre. Toma la iniciativa y se autoinvita a casa de este jefe de publicanos. Como viene a salvar, no reprocha conductas pasadas. Su cercanía misma obra en los que le rodean cambios interiores importantes: "Hoy ha venido la salvación a tu casa" (Lc 19,9).

Como aparece en este pasaje, el Señor posee infinidad de recursos para actuar en el corazón humano. San Gregorio Magno (540 - 604) lo había advertido y lo expresa de este modo en una de sus obras:

> Secretamente se introduce en nuestra inteligencia por infinitos modos. Algunas veces toca nuestros corazones con un sentimiento de amor, y otras con un movimiento de temor. Algunas veces representándonos la nada de los bienes presentes, eleva nuestros deseos al amor de los eternos, y otras dándonos a sentir con anticipación el gusto de los bienes eternos, nos inspira el desprecio de todo lo temporal. Algunas veces también nos descubre nuestras miserias y nos excita a compadecernos de las ajenas.[27]

La persona de Zaqueo nos ilustra también para enfocar mejor nuestra relación con Cristo. Nos ofrece dos imágenes complementarias: antes de su primer encuentro con Jesús y después del mismo. El primer Zaqueo intuye que necesita a Cristo, se desocupa y libera de otros trabajos o compromisos, se esfuerza por ver, escucha la voz de Cristo que se impone al comprensible griterío circundante, baja con presteza, acoge

---

[27] S. GREGORIO MAGNO, *Tratados morales*, l. 5, c. 29

alegre a Jesús en su casa. El segundo Zaqueo, ante la cercanía del Maestro, cambia de vida: renuncia a sus antiguas trampas como nos lo da a entender con delicada claridad, restablece la justicia en su vida y en sus negocios, da la mitad de sus bienes a los pobres, con Jesús acoge la salvación gratuita que él le ofrece.

Este pasaje debe incrementar nuestro amor y admiración por el Señor, invitarnos a pedirle perdón por las veces o temporadas en que no nos hemos preocupado de buscarlo, aumentar nuestra confianza en Jesús que nunca ha dejado de buscarnos y ha dado siempre el primer paso hacia nosotros, impulsarnos a un amor práctico que nos convierta más definitivamente a él y nos haga encarnar cada vez mejor en nosotros sus ideales de vida.

IX. EL PUEBLO

Un grupo de pasajes del evangelio de san Lucas nos presenta al pueblo de Israel, reunido en una gran muchedumbre o en grupos más reducidos, en el monte o en el llano, en la sinagoga o en el templo, pero normalmente con interés y apertura ante la persona y la doctrina de Jesús.

Sin ánimo de agotar las páginas en las que Cristo se relaciona con la muchedumbre, elijo dos modos que Jesús emplea con frecuencia para educar a las turbas del pueblo y que me parecen ricos en perspectivas y aplicaciones para nuestra propia relación con el Señor: la predicación y los milagros. Buena parte de estos pasajes serán exclusivos del tercer evangelista e irán precedidos de una breve presentación más algunos comentarios sucintos que puedan ayudar al lector a avanzar en su conocimiento, amor y seguimiento de Jesús.

1. La predicación al pueblo

Un primer momento que quiero destacar es *su vuelta a Nazaret.* Lo refieren los tres sinópticos (Mt 13,53-58; Mc 6,1-6; Lc 4,16-30). San Lucas lo coloca al inicio de la vida pública. Es un momento de cierta solemnidad y que termina dramáticamente. Por este pasaje conocemos que Jesús cumplía su deber religioso de acudir los sábados a la sinagoga. En esta ocasión se levanta para hacer la lectura y se dirige por primera vez en público y en ese sitio religioso tan solemne a todo el pueblo.

Lee y aplica a su persona el pasaje de Isaías: "El Espíritu del Señor está sobre mí..." (Lc 4,18-21). Al principio todos se admiran y lo aprueban. Luego, cuando él reprende su racionalismo, se enfadan y buscan inútilmente despeñarlo desde la cima del monte (Lc 4,22-30).

Descubrimos en este pasaje el sentido de la oportunidad de Jesús que llega en su momento a cada lugar, aquí en concreto a Nazaret, la ciudad que le vio crecer y desarrollarse durante la mayor parte de su vida oculta. Advertimos también la sincera humildad con que se aplica el pasaje de Isaías para orientar a sus paisanos sobre su más profunda identidad. Y nos damos cuenta de que, cuando su predicación les molesta y escuece, las gentes son capaces de buscar la solución drástica de asesinar al mensajero.

No se cumple en ellos el efecto benéfico de quien accede con sencillez y frecuentemente a contemplar la palabra de Dios y a contemplarse y mejorarse en esta experiencia, según lo refleja un texto actual del Magisterio:

> El trato amoroso y cotidiano con la Palabra educa para descubrir los caminos de la vida y las modalidades a través de las cuales Dios quiere liberar a sus hijos; alimenta el instinto espiritual por las cosas que agradan a Dios; transmite el sentido de su voluntad y el gusto por ella; da la paz y el gozo por permanecerle fieles, al tiempo que hace sensibles y prontos a todo lo que implica obediencia, sea

el evangelio (Rm 10, 16; 2 Ts 1, 8), la fe (Rm 1, 5; 16, 26) o la verdad (Ga 5, 7; 1 Pe 1, 22).[28]

Si Nazaret lo rechaza de ese modo, Cafarnaún presenta el lado opuesto en su actitud ante Jesús: se maravillan de su palabra llena de autoridad, admiran uno de sus milagros y divulgan su fama.

Con este 'prólogo', Jesús comienza su predicación que va dirigida a un pueblo expectante y necesitado de verdades y de testigos que las vivan.

Un primer bloque de esta predicación se halla en torno al sermón de la montaña. Extraigo de las páginas de san Lucas algunas de sus enseñanzas aún hoy por realizar en nuestra propia vida personal y en nuestras sociedades.

a. El amor a los enemigos (Lc 6,27-38)

Sigue al pasaje de las cuatro bienaventuranzas de la versión de Lucas y marca una meta muy elevada y ardua que se encuentra dentro del amor al prójimo y lleva este amor a sus cotas más altas y exigentes.

---

[28] S. CONGREGACIÓN PARA LOS INSTITUTOS DE VIDA CONSAGRADA Y LAS SOCIEDADES DE VIDA APOSTÓLICA, *El servicio de la autoridad y la obediencia* n. 7

En el fondo, es el mismo Jesús quien se retrata con las distintas notas que han de caracterizar el amor a los enemigos: es él quien, sobre todo en su pasión, hace el bien a los que le aborrecen; es él allí mismo quien se deja herir en la mejilla y arrebatar la túnica; es él quien no reclama a quien toma lo suyo; es él quien trata a los demás como quisiera que lo trataran a él; les hace el bien sin esperar recompensa. Da a los demás una medida buena y apretada como la quisiera para él mismo. Es misericordioso, no condena y sí perdona y excusa a sus enemigos: "Padre, perdónalos porque no saben lo que hacen" (Lc 23,34).

Cierro esta breve reflexión con un fragmento rico sobre el significado del perdón cristiano en un autor contemporáneo. Espero pueda servir para el propio análisis y el progreso en el verdadero amor:

Perdonar no consiste en aceptar el mal ni en pretender que es justo lo que no lo es; evidentemente, no debemos admitir nada parecido; sería como burlarse de la verdad. Perdonar significa lo siguiente: a pesar de que esta persona me ha hecho daño, yo no quiero condenarla, ni identificarla con su falta, ni tomarme la justicia por mi mano. Dejo a Dios, el único que escudriña las entrañas y los corazones (Ap 2, 23) y juzga con justicia (1Pe 2, 23) la misión de examinar sus obras y emitir un juicio, pues yo no deseo encargarme de tan difícil y delicada tarea, que sólo corresponde a Dios. Es más, no quiero reducir a quien me ha ofendido a un juicio definitivo e inapelable; sino que lo miro con ojos esperanzados, creo que algo en él puede dar un giro y cambiar, y continúo queriendo su bien. Creo también que del mal que me ha hecho, aunque humanamente parezca irremediable, Dios puede obtener un bien.[29]

b. Edificar sobre roca (Lc 6,47-49)

Estos versículos se hallan al final del sermón de la montaña y presentan en una breve parábola, la imagen de dos discípulos de Jesús: la del que guarda fielmente la palabra del Maestro y la del que la escucha sólo superficialmente. El primero no sólo ha coincidido con el Señor: ha buscado acercarse a él y, queriendo construir sólidamente su edificio espiritual, ha puesto unos cimientos profundos sobre la roca de la fe, la confianza y el amor a Dios. Así se prepara para resistir cualquier inundación y torrente que puedan presentarle el ambiente, el demonio o su propia psicología, sus temores e inseguridades.

El segundo se ha reducido a oír la palabra del Maestro, pero no ha hecho una opción real y madura por la persona y los valores que le propone Jesús. No ha puesto, por ello, los cimientos de su casa sobre la roca de las convicciones y de las virtudes, sino ha construido sobre la arena de los sentimientos y las emociones. Cuando el torrente inevitable de la vida rompe sobre esa casa, queda patente la inconsistencia de sus muros, se desploman y su ruina es grande.

---

[29] PHILIPPE Jacques, *La libertad interior*, Rialp, Patmos, Madrid 2004 4ª, 69 f - 70 1

Conviene ver esta conclusión del sermón de la montaña como una advertencia cariñosa y clara por parte del Señor de nuestras vidas. Él viene a darnos, en su persona, la solidez madura de su mensaje para que sea él quien 'construya la casa' (cf Sl 126 1) y guarde la ciudad de nuestra alma. Y lo hace aportando la roca del amor que da firmeza a todas nuestras actitudes y decisiones. No aceptar su invitación es caer en la inestable alternancia de nuestros caprichos y temores, de nuestros gustos y disgustos, muy lejos de la casa sólida que viene a construir el Señor en cada alma, en cada familia, en su Iglesia.

San Juan Crisóstomo (349? - 407) supo 'edificar sobre roca' el templo espiritual de su fidelidad y de su amor a Dios, y supo resistir, por ello, las persecuciones y los destierros que han hecho de él un ejemplo de cristiano maduro y de obispo celoso. Así lo manifiesta en este extracto de una de sus obras:

Muchas son las olas que nos ponen en peligro, y una gran tempestad nos amenaza: sin embargo, no tememos ser sumergidos porque permanecemos de pie sobre la roca. Aun cuando el mar se desate, no romperá esta roca; aunque se levanten las olas, nada podrán contra la barca de Jesús. Decidme, ¿qué podemos temer? ¿La muerte? *Para mí la vida es Cristo, y una ganancia el morir.* ¿El destierro? *Del Señor es la tierra y cuanto la llena.* ¿La confiscación de los bienes? *Sin nada vinimos al mundo, y sin nada nos iremos de él.* Yo me río de todo lo que es temible en este mundo y de sus bienes. No temo la muerte ni envidio las riquezas. No tengo deseos de vivir, si no es para vuestro bien espiritual. Por eso, os hablo de lo que sucede ahora exhortando vuestra caridad a la confianza.

¿No has oído aquella palabra del Señor: *Donde dos o tres están reunidos en mi nombre, allí estoy yo en medio ellos?* Y, allí donde un pueblo numeroso esté reunido por los lazos de la caridad, ¿no estará presente el Señor? me ha garantizado su protección, no es en mis fuerzas que me apoyo. Tengo en mis manos su palabra escrita. Éste es mi báculo, ésta es mi seguridad, éste es mi puerto tranquilo. Aunque se turbe el mundo entero, yo leo esta palabra escrita que llevo conmigo, porque ella es mi muro y mi defensa. ¿Qué es lo que ella me dice? *Yo estoy con otros todos los días, hasta el fin del mundo.*

Cristo está conmigo, ¿qué puedo temer? Que vengan a asaltarme las olas del mar y la ira de los poderosos; todo eso no pesa más que una tela de araña. Si no me hubiese retenido el amor que os tengo, no hubiese esperado a mañana para marcharme. En toda ocasión yo digo: «Señor, *hágase tu voluntad:* no lo que quiere éste o aquél, o lo que tú quieres que haga». Éste es mi alcázar, ésta es mi roca inamovible, éste es mi báculo seguro. Si esto es lo que quiere Dios, que así se haga. Si quiere que me quede aquí, le doy gracias. En cualquier lugar donde me mande, le doy gracias también.[30]

---

[30] S. JUAN CRISÓSTOMO, *Homilías,* Ante su destierro

c. El amigo importuno (Lc 11,5-8)

Este breve pasaje, exclusivo del tercer evangelista, aparece justamente después de la oración del Señor, el Padre nuestro. Y viene a reforzar las tres peticiones de la plegaria cristiana por excelencia. Para subrayar el amor cercano y misericordioso de Dios emplea una corta parábola de una situación humana muy comprensible para todos por el breve retazo de vida familiar que nos describe. Se trata de solucionar un problema real y urgente. Aparece la necesidad del amigo que llega sin avisar, la carestía de la despensa del amigo que lo acoge y la confianza de éste en el amigo que vive en la casa de al lado.

Todo ello tiene su aplicación en el más elevado nivel nuestras necesidades espirituales, razón por la que podemos acudir confiados a nuestro Padre del cielo, amigo de confianza que vive no sólo en la casa de al lado, sino en el fondo de nuestro corazón; amigo cuya despensa nunca sufre ninguna carestía, pues es la fuente de todo don perfecto; amigo que puede solucionar cualquier necesidad o problema que llega a nuestra vida sin avisar y con la urgencia de una solución adecuada.

Las palabras humanas del breve y franco diálogo nos indican también con claridad divina que las urgencias e imprevistos en nuestra vida son hasta cierto punto inevitables; que nuestra confianza para acudir al Amigo ha de ser inmediata; que nuestra oración ha de ser sincera, clara y breve; y que hemos de estar ciertos de que el Amigo nos ayudará a salir del apuro en que nos encontramos. Además, aunque el amigo de la tierra y vecino nuestro aduzca motivos razonables para que no le molestemos a altas horas de la noche y sólo al final acceda y no de muy buena gana, nuestro Amigo celestial está siempre despierto y atento y nunca será una molestia escucharnos y resolver nuestras necesidades y peticiones con su el pan divino de su eucaristía y de su palabra.

Por lo mismo, él mismo concluye este tema de la oración iniciado en el Padre nuestro con las sentencias que reseña también Mateo (7, 7-11): Pedid y se os dará; buscad y hallaréis; llamad y se os abrirá (Lc 11, 9).

d. Cuidado con la avaricia (Lc 12,13-21)

Dentro del apartado de la subida a Jerusalén nos presenta san Lucas otro pasaje exclusivo suyo. Describe una de las actitudes fundamentales que deben adornar al discípulo del Señor y tiene que ver con las riquezas. El Señor invita a los suyos a no acumular riquezas y a estar atentos con la avaricia.

Él conoce la facilidad del corazón humano para apegarse a cualquier creatura: persona, animal o cosa. Aquí se trata de esa 'cosa' tan universal en todas las épocas y culturas como es la riqueza. El discípulo del Señor ha de aprender a colocar en su sitio todos los bienes materiales. Aprovecha para ello una petición que le hace 'uno de la gente' que tiene un hermano más apegado que él a la herencia familiar, hasta el punto de que lo ha excluido de la misma.

El Señor deja en claro que su misión no es la de mediar como en problemas económicos familiares. Las sociedades humanas tienen jueces que entienden de estos temas y procuran resolverlos de un modo justo. A ellos debe acudir este demandante anónimo.

Pero, sin dejar el argumento de la riqueza, Cristo va más a lo profundo de este problema: el hombre debe guardar su corazón de toda codicia (v. 15) y jerarquizar correctamente la propia vida y los bienes de la tierra (v. 16). Para ello, como de costumbre, les propone una parábola: la del hombre rico que obtuvo una cosecha que no le cabe en sus actuales graneros y proyecta construir otros mayores y darse a la buena vida del descanso y los banquetes. El error de este rico no ha sido trabajar, proyectar la construcción de unos graneros mayores, prever su descanso placentero y el disfrute de todos bienes materiales y pasajeros. Su error consiste en descuidar algo más fundamental: la previsión primera de toda vida humana, la que se preocupa de su alma, de su vida futura y del uso que hace de esos bienes presentes en orden a esa vida futura, nunca tan lejana como para que no pueda iniciar esta misma noche.

El Señor quiere discípulos trabajadores, previsores, que sepan disfrutar sanamente de los bienes de la tierra. Pero deben, en primer lugar, trabajar en el negocio más importante que es la salvación de la propia alma, única perspectiva que nos permite empeñarnos a fondo en los asuntos de este mundo y acertar en el uso de las riquezas y en la preparación de la vida futura. Sólo así se verán libres de las ataduras de los bienes de este mundo y sabrán emplearlos atesorando riquezas 'ante Dios' (v. 21).

e. Invitación a la penitencia (Lc 13, 1-9)

El amor misericordioso del Cristo de san Lucas busca lo mejor para sus discípulos y se lo va distribuyendo a lo largo de todo el evangelio. En este pasaje encontramos otra prueba de ello. El Señor, accesible a todos, es abordado en este momento por algunos oyentes que le cuentan sorprendidos la desgracia reciente de unos fariseos. Él aduce otro 'suceso de crónica', el accidente de la torre de Siloé que se derrumba y ocasiona la muerte de dieciocho judíos.

Educados en la escuela del Antiguo Testamento, sus oyentes unen esa desgracia y ese accidente con la conducta de los protagonistas. El Señor les corrige este error común en esa época -que pervive en nuestros días en muchas mentalidades...- y aprovecha para darles otra parte importante de su mensaje: la invitación a la penitencia. Es éste un tema que presenta en varias ocasiones a un hombre que rehúye frecuentemente este argumento; que se muestra superficial y curioso, enterado y afectado por lo anecdótico y que no sabe cómo interpretarlo desde el punto de vista de una formación religiosa insuficiente.

Nos muestra así Jesús que se halla al día de lo que va ocurriendo, que sabe trascender la mera crónica de actualidad y que la emplea salvíficamente. Por lo mismo, recurre luego a la parábola de la higuera -símbolo del corazón humano-, estéril aun cuando ha contado con el esfuerzo sabio y oportuno del viñador. Su amor misericordioso de Padre, aunque en ocasiones se impaciente y se nos muestre de ese modo, lo hace para que comprendamos cuánto nos ama. Por ello, aunque pasa por su corazón el cortarnos para no cansar más a la tierra, se calma ante los ruegos del viñador que le promete una mayor atención a le higuera. Queda, sin embargo, claro y preciso el fondo de su mensaje, invitación perenne a la penitencia: 'Os aseguro que, si no os convertís, todos pereceréis del mismo modo' (Lc 13, 5) que los galileos y los muertos en el derrumbe de la torre de Siloé.

En el siguiente extracto san Juan Crisóstomo, celoso obispo de Antioquía y fiel predicador del mensaje evangélico, invita también a la penitencia a sus oyentes, les propone cinco vías para alcanzar esta meta y les deshace algunas posibles excusas:

Te he recordado, pues, cinco caminos de penitencia: primero, la acusación de los pecados; segundo, el perdonar las ofensas de nuestro prójimo; tercero, la oración; cuarto, la limosna; y quinto, la humildad.

No te quedes, por tanto, ocioso, antes procura caminar cada día por la senda de estos caminos: ello, en efecto, resulta fácil, y no te puedes excusar aduciendo tu pobreza, pues, aunque vivieres en gran penuria, podrías deponer tu ira y mostrarte humilde, podrías orar asiduamente y confesar tus pecados; la pobreza no es obstáculo para dedicarte a estas prácticas. Pero, ¿qué estoy diciendo? La pobreza no impide de ninguna manera el andar por aquel camino de penitencia que consiste en seguir el mandato del Señor, distribuyendo los propios bienes —hablo de la limosna—, pues esto lo realizó incluso aquella viuda pobre que dio sus dos pequeñas monedas.

Ya que has aprendido con estas palabras a sanar tus heridas, decídete a usar de estas medicinas, y así, recuperada ya tu salud, podrás acercarte confiado a la mesa santa y salir con gran gloria al encuentro del Señor, rey de la gloria, y alcanzar los bienes eternos por la gracia, la misericordia y la benignidad de nuestro Señor Jesucristo.[31]

f. Prudencia cristiana ante la cruz (Lc 14,28-33)

El anterior pasaje se refería a la penitencia necesaria en la vida de todo discípulo de Jesús. Éste nos invita a saber tomar la cruz, condición esencial para ser verdadero seguidor suyo. En las líneas precedentes (vv. 25-27), con los otros dos sinópticos nos pide que antepongamos su seguimiento a todo afecto familiar y aun a la propia vida. Se trata de un ideal siempre arduo y nada conciliador, que toca y purifica las fibras más íntimas de cada corazón.

En este pasaje profundiza en esa invitación gracias a la claridad y a la viveza de dos pequeñas parábolas: la del que quiere edificar una torre (vv. 28-30) y la del rey que va a emprender una guerra (vv. 31-33). El Señor no quiere discípulos alocados y superficiales, que en un momento de fervor lo prometan todo y a la vuelta de la esquina retiren desilusionados lo prometido. Jesús quiere que sus

---

[31] S. JUAN CRISÓSTOMO, *Homilías,* 2ª sobre el diablo tentador, 6

seguidores sean previsores y prudentes. La vida humana aparece en estas pequeñas parábolas como la construcción de una torre y como la guerra de un rey contra otro. Ambas han de tomarse en serio y se deben afrontar con prudencia cristiana, es decir, con las debidas garantías sobrenaturales y humanas para llegar hasta la culminación del edificio y la victoria en esa guerra.

Mucho nos ayudará meditar este pasaje de san Lucas en nuestras decisiones, sobre todo en las más importantes: las que apuntan a la elección del estado de vida, de la carrera profesional, de la persona con la que queremos formar una familia, del estilo de vida consagrada que Dios puede pedirnos...

Y meditarlo pausadamente ante Cristo Eucaristía en una visita personal, en un retiro o en un ambiente de ejercicios espirituales es poner los medios adecuados que el Señor nos pide para obrar con prudencia cristiana y humana en el negocio más importante que es el que afecta a nuestra propia y única vida. Sólo así aprenderemos a 'renunciar a todos nuestros bienes' (v. 33) para poder ser discípulos de este Maestro.

g. El fariseo y el publicano (Lc 18,9-14)

Este pasaje nos presenta otra parábola de las más conocidas y exclusiva de san Lucas. Se trata de una contraposición entre dos personas -un fariseo y un publicano- que sintetizan dos posturas perennes ante Dios: la del soberbio y la del humilde.

El primero se siente muy seguro de sí mismo y desprecia a los demás. Y así se presenta ante Dios, tratando de 'impresionarle' con su conducta, en línea con lo exigido por la ley. Lo indica su postura de pie, la singularidad de su persona autocomplaciente consigo misma y con un afán de singularidad que lo distingue de los demás y lo coloca sobre ellos, la serie de juicios temerarios y despectivos que menosprecian a los otros hombres considerados fuera de la ley por sus rapacidades injusticias y adulterios, el menosprecio del publicano que se halla también en el templo, el recuento de sus buenas acciones sintetizadas en sus ayunos y en el pago de los diezmos.

El segundo manifiesta su humildad con cada uno de sus gestos: la conciencia de su indignidad le lleva al templo pero le mantiene alejado físicamente del altar, no le permite elevar sus ojos al cielo, le induce a golpearse el pecho en señal de duelo, le inspira una oración sincera y humilde que indica el reconocimiento del puesto y del poder de Dios en su vida, la insatisfacción consigo mismo y el dolor por sus pecados personales: ¡Oh Dios, ten compasión de mí, que soy pecador! (Lc 18, 13).

Así desglosa san Agustín en dos pasajes complementarios la actitud espiritual del publicano:

> Confesaba el publicano su pobreza, su necesidad, y no se atrevía a levantar sus ojos al cielo. Como pecador que era, no tenía mérito alguno para alzar sus ojos.

Reconocía, sí, su profunda miseria; pero conocía también las riquezas del Señor, y sabía que estaba sediento delante de la fuente. Mostraba su boca seca y clamaba con ansias de llenar su pecho: Señor, decía hiriendo su pecho y con los ojos en tierra, ten piedad de mí, que soy un pecador.[32]

Estaba lejos; no obstante, se acercaba a Dios. Le alejaba la conciencia de sus pecados, pero le acercaba su piedad. Se mantenía alejado, pero el Señor le atendía como si estuviera cerca. Poco significaba el que estuviera a lo lejos y no se atreviera a levantar los ojos al cielo. Para merecer que Dios le mirase no levantaba la vista. No se atrevía a mirar a lo alto, pero si la conciencia le humillaba, la esperanza lo levantaba.[33]

Al final Cristo revela el pensamiento de Dios sobre cada uno de estos dos hombres que suben al templo a orar: el segundo bajó a su casa justificado y el primero no. La razón es sencilla y va en consonancia con un mensaje de fondo del Antiguo Testamento que recoge María en el Magníficat: Dios rechaza a los soberbios y acoge a los humildes (cf Lc 1, 52; Jb 12, 19).

2. Algunos milagros de Jesús

Otro modo en que Cristo se relaciona con el pueblo en el evangelio de san Lucas son los milagros, esa forma fuerte que

---

[32] S. AGUSTÍN, *Sermones, 36*, 11

[33] S. AGUSTIN, *Sermones, 115*, 2

el Señor emplea para mostrar su amor misericordioso al hombre en distintas necesidades y para suscitar la fe y la adhesión a su mensaje en personas frecuentemente de fe escasa y de dura cerviz (cf Ex 32,9). Destaco seis que presenta el tercer evangelista, tres de ellos exclusivos suyos.

a. Resurrección del hijo de la viuda de Naím (Lc 7,11-17)

En el capítulo sexto ha concluido el sermón de la montaña, donde había proclamado dichosos a "los que lloráis ahora, porque reiréis" (cf Lc 6, 21). Sólo san Lucas narra el siguiente episodio, que lo señala como el evangelista del amor compasivo de Cristo. En su predicación itinerante por toda Palestina, el Maestro va a una ciudad llamada Naím cuando sacan a enterrar al hijo único de una madre viuda. La ve llorar de dolor y de impotencia, su corazón se compadece de esta mujer y se muestra dispuesto de inmediato a 'cargar sobre sí este dolor', como estaba profetizado en el Antiguo Testamento (cf Is 53, 4). Para ello, primero consuela a la mujer y luego, como Señor de la vida, muestra su dominio sobre la muerte resucitando al muchacho con un mandato breve y claro: "Joven, a ti te digo: Levántate" (Lc 7, 15). El efecto de esta orden es inmediato y entrega al resucitado a su madre.

Entre las posibles lecciones de este pasaje podemos enumerar algunas: nuestras pruebas y dolores no son indiferentes a Cristo; él se presenta en el momento oportuno y su palabra es siempre eficaz; el dolor en cada caso purifica el corazón y tiene

125

una intensidad y una duración precisas que sólo conoce el Orfebre divino, según se narra en la siguiente anécdota anónima:

Había un grupo de mujeres reunidas en su estudio bíblico semanal, y mientras leían el libro de Malaquías encontraron un versículo que dice: "Y él se sentará como fundidor y purificador de plata". Este verso les intrigó en gran manera acerca de qué podría significar esta afirmación con respecto al carácter y la naturaleza de Dios.

Una de ellas se ofreció a investigar el proceso de la purificación de la plata. Esa semana la dama llamó a un orfebre e hizo una cita para ver su trabajo. Ella no le mencionó detalles acerca de la verdadera razón de su visita; simplemente dijo que tenía curiosidad sobre la purificación de la plata.

Mientras observaba al orfebre que sostenía una pieza de plata sobre el fuego dejándola calentar intensamente, él le explicaba que para refinar la plata, debía ser sostenida en medio del fuego donde las llamas arden con más fuerza, para así extraer las impurezas. En ese momento ella imaginó a Dios sosteniéndonos en un lugar así de caliente.

Entonces recordó una vez más el versículo: "Y él se sentará como fundidor y purificador de plata". Le preguntó al platero si era cierto que él debía permanecer sentado frente al fuego durante todo el tiempo que la plata era refinada. El hombre respondió: "Sí. No sólo debo estar aquí sentado sosteniendo la plata, también debo mantener mis ojos fijamente en ella durante el tiempo que está en el fuego. Si dejara la plata un instante más de lo necesario sería destruida."

La mujer se mantuvo en silencio por un momento y luego preguntó. "¿Cómo sabe cuándo ya está completamente refinada?" Él sonrió y le respondió: "¡Ah, muy simple: cuando puedo ver mi imagen reflejada en ella!"

b. Tempestad calmada (Lc 8, 22-25)

El Señor manifiesta también su poder en otros contextos y necesidades. Una de ellas, narrada también por Mateo y Marcos, ocurre en el siguiente capítulo del evangelio de san Lucas.

Les propone pasar en barca a la otra orilla del lago. La fatiga lo rinde y se duerme. Sobreviene luego una fuerte tempestad que no logra despertarlo. Al verse en inminente peligro de muerte, los discípulos lo despiertan y realiza el milagro de calmar de inmediato la fuerza bravía de las olas devolviendo al mar la bonanza perdida.

En este pasaje los discípulos nos dan unas lecciones importantes: son obedientes a la consigna inicial de Cristo, se ven sujetos a los elementos naturales (fuerte vendaval, olas, barca que casi se hunde...), temen ante el peligro, tratan con confianza al Señor, no temen molestarlo y lo despiertan, se ven correspondidos por Cristo que no los defrauda en sus súplicas. Por último, incrementan su respeto, su santo temor y su admiración por él y por su poder. Por tanto, crece su fe y su confianza en el Maestro.

Desde nuestro nacimiento, el Señor ha elegido la barca de nuestra vida para acompañarnos hasta la otra orilla. Él conoce la fuerza de las olas que van a levantarse en diversos momentos de nuestra travesía y los peligros que correremos por el viento y el oleaje de las pruebas que dificultarán nuestra ruta. Y se pone a dormir, aparentemente olvidado de nosotros. Aunque sintamos temor, no lo despertemos, seguros de que nuestra barca no naufragará porque vamos con él, que ha puesto sus límites al mar. Ojalá no sea necesario que nos reprenda por nuestra falta de fe, como lo hizo con los apóstoles atemorizados. No olvidemos que le basta una frase para devolvernos la bonanza inicial y dejarnos en la otra orilla sanos y salvos y con una fe y una confianza crecidas.

La siguiente carta de santa Teresa de Lisieux a su hermana Celina, religiosa carmelita como ella, explica con ricos detalles el pasaje evangélico que precede, subrayando la total confianza en Dios, más en los momentos en que no vemos con claridad a nuestro alrededor:

Querida Celinita:

No me sorprende que no entiendas nada de lo que ocurre en tu alma. Un niño *pequeño* completamente solo en el mar, en una barca perdida en medio de las olas borrascosas ¿podrá saber si está cerca o lejos del puerto? Mientras sus ojos divisan todavía la orilla de donde zarpó, sabe cuánto camino lleva recorrido y, al ver alejarse la tierra, no puede contener su alegría infantil. ¡Pronto -se dice a sí mismo- llegaré al final del viaje! Pero cuanto más se aleja de la playa, más vasto parece también el océano. Entonces la *ciencia* del niñito se ve reducida a nada, y ya no sabe hacia dónde va su navecilla. Como no sabe manejar el timón, lo único que puede hacer es abandonarse, dejar flotar la vela a merced del viento...

Celina mía, la niñita de Jesús se encuentra completamente sola en una barquichuela, la tierra ha desaparecido a sus ojos y no sabe a dónde va, ni si avanza o retrocede... Teresita sí lo sabe: está segura de que su Celina está en alta mar, de que la navecilla que la lleva boga a velas desplegadas hacia el puerto, de que el timón, que Celina ni siquiera puede ver, no está sin piloto. Jesús está allí, dormido, como antaño en la barca de los pescadores de Galilea. Él duerme... y Celina no lo ve porque la noche ha caído sobre la navecilla... Celina no oye la voz de Jesús. El viento sopla y ella lo oye soplar, ve las tinieblas... y Jesús sigue durmiendo. Sin embargo, si se despertara solamente un instante, sólo tendría que «ordenar al viento y al mar, y vendría una gran calma», y la noche sería más clara que el día. Celina vería la mirada divina de Jesús, y su alma quedaría consolada... Pero entonces Jesús ya no dormiría, ¡y está tan *cansado...!* Sus pies divinos están cansados de buscar a los pecadores, y en la navecilla de Celina Jesús descansa tan a gusto...

Los apóstoles le habían dado una almohada, el evangelio nos cuenta este detalle. Pero en la barquilla de su esposa querida nuestro Señor encuentra otra almohada mucho más suave: el corazón de Celina. Allí lo olvida todo, allí está como en su casa... No es una piedra lo que sostiene su cabeza divina (aquella piedra por la que suspiraba durante su vida mortal): es un corazón de hija, un corazón de esposa. ¡Y qué contento está Jesús! ¿Pero cómo puede estar contento cuando su esposa sufre, cuando vela mientras él duerme dulcemente? ¿No se da cuenta de que Celina no ve más que la noche, de que su rostro divino está escondido para ella, y de que a veces hasta la carga que siente sobre su corazón le parece pesada...?

¡Qué gran misterio! Jesús, el niñito de Belén, a quien María llevaba como una «carga ligera», se vuelve pesado, tan pesado que san Cristóbal se queda sorprendido... También la esposa de los Cantares dice que su «Amado es un ramillete de mirra que descansa sobre sus senos». La mirra es el sufrimiento, y así es como Jesús reposa sobre el corazón de Celina... Y sin embargo, Jesús está contento de verla entre sufrimientos, se siente feliz de recibirlo todo de ella durante la noche... Espera la aurora, y entonces... sí, entonces ¡¡¡qué despertar el de Jesús...!!!

Celina querida, ten la seguridad de que tu barca está en alta mar, tal vez muy cerca ya del puerto. El viento del dolor que la empuja es un viento de amor, y ese viento es más rápido que el relámpago...[34]

---

[34] S. TERESA DE LISIEUX, *Cartas*, A su hermana Celina, 23 de julio de 1893.

c. Multiplicación de los panes (Lc 9,9-17)

Hay milagros en situaciones menos peligrosas, pero no menos oportunos y muestras del amor generoso de Jesús a la humanidad necesitada. Uno de ellos es la multiplicación de los panes que nos narran Mateo y Marcos, además de san Lucas. Éste incluye el pasaje en el capítulo noveno de su evangelio. Al inicio del capítulo les ha dado instrucciones concretas sobre su misión, ellos salen a predicar y vuelven tiempo después para contarle lo que habían hecho. El Señor busca darles un lugar y un tiempo de reposo a modo de premio, pero se entera la gente y sigue al Maestro. Su amor misericordioso la acoge, le predica y cura a sus enfermos.

No agrada este imprevisto a los apóstoles y, al declinar el día, piden al Maestro que despida a la gente para que vaya a buscar alojamiento y comida. Es aquí cuando él los instruye con este nuevo milagro que sacia sobreabundantemente el hambre de la multitud. No han de 'despachar' a los discípulos cuando les resulten molestos, y menos si se hallan en una evidente necesidad. Han de acoger el reto: 'Dadles vosotros de comer' (Lc 9, 13), aportando cuanto ellos puedan y esperando del Señor lo que les falte.

Los apóstoles muestran una actitud parecida a la de un confesor actual que, ganado por las prisas y la imprudencia, da pie a esta experiencia negativa de un alma que busca la reconciliación en una peregrinación:

Durante una de las peregrinaciones que me concedo de tiempo en tiempo, viendo una fila de personas que esperaban ante un confesonario, decidí también yo "vaciar mi saco". Mientras esperaba mi turno, me di cuenta de que los fieles que me precedían entraban y salían a velocidad supersónica, tanto que pensaba que dentro hubiera numerosos confesores.

Puede imaginarse usted mi sorpresa cuando vi que había un solo confesor. Me arrodillé igualmente y, antes de abrir la boca, escuché que me preguntaba si iba a misa el domingo. Respondí tímidamente que sí, y no tuve tiempo de añadir otra cosa: me absolvió o, mejor, me "liquidó", sin acto de dolor y sin imponerme ninguna penitencia. Salí jurándome a mí misma que no pisaría ya nunca una iglesia.

De regreso a casa, he buscado ser sensata y poco a poco he continuado con mis prácticas religiosas anteriores. Pero dentro de mí me quedó una sensación amarga que no logro cancelar. Soy madre de hijos ya grandecitos y si uno quisiera hacerse sacerdote, yo sería muy feliz. Pero un verdadero sacerdote, no como el que yo encontré aquel día. Sacerdotes así son una ruina.[35]

Las aplicaciones de este pasaje pueden ser múltiples: el Señor comprende nuestras necesidades de descanso y busca

---

[35] ANÓNIMO, Carta en: *Temi di predicazione,* VII 2001, p. 198

satisfacerlas, ahora sobre todo en la Eucaristía y al contacto con su palabra, pero también con unas jornadas de merecido descanso. Jesús actúa tras los imprevistos ante planes y programas acariciados tiempo atrás. A las personas necesitadas -de un consejo, de una ayuda, de alimento físico o espiritual- no se las 'despacha' para que se arreglen y se busquen la vida como puedan: hay que atenderlas con profesionalidad, sin prisas, con un amor que sabe de detalles. Basta que pongamos lo poco que somos y tenemos para afrontar la misión que el Señor nos confía: él pone el resto. Toda la sagrada escritura y toda la historia de la Iglesia son testigos frecuentes de esta acción milagrosa de Jesús.

d. Hidrópico curado en sábado (Lc 14,1-6)

Este breve pasaje es exclusivo de Lucas y en él podemos descubrir un caso más del amor generoso de Cristo. Nos encontramos en la cuarta parte de este evangelio, la subida a Jerusalén. El Señor, accesible a todos, acepta una invitación a comer que le hace uno de los principales fariseos de una ciudad. Se sabe observado por los demás invitados.

Su corazón ve la necesidad de un enfermo, un hidrópico que se halla ante él. Es sábado y conoce el mandato de omitir todo tipo de trabajo en ese día. Pero el amor generoso que encarna el Señor del sábado (cf Lc 6, 5) y que es el núcleo mismo de toda la sagrada escritura se sobrepondrá a la norma legal ante el silencio de los juristas y fariseos que no responden a la pregunta inicial que les dirige Jesús y se escandalizan del milagro que realiza ante sus ojos. Continúan también en silencio cuando el Señor les propone otra pregunta que un sano sentido común resuelve en la línea de la actuación milagrosa de Cristo: "¿A quién de vosotros se le cae un hijo o un buey a un pozo en sábado y no lo saca al momento?" (Lc 14, 5).

e. Los diez leprosos (Lc 17,11-19)

En el mismo viaje que lo lleva a Jerusalén pasa el Señor un día por los confines entre Samaria y Galilea. Un grupo de diez leprosos lo advierte y se le acerca en busca de su curación. La ley los ha alejado de la convivencia normal en su familia y en su ciudad, y los ha enseñado a mantener una respetuosa distancia de toda persona sana. Pero han oído hablar de Jesús y de distintas curaciones milagrosas que ha realizado en distintos puntos de Palestina. Por lo mismo, guardando sus distancias para no contagiar al Señor ni a su séquito, gritan a Jesús e imploran su compasión.

El corazón amoroso y atento de Jesús se conmueve y al verlos y escuchar su súplica les dice de inmediato: "Id y presentaos a los sacerdotes" (Lc 7, 14). No los cura él mismo al instante. Les pide que obedezcan a lo prescrito por la ley (cf Lv 13, 2) y en el camino se verán curados.

Llama la atención en este pasaje la sinceridad de la oración de los leprosos, su obediencia pronta a la orden del Señor, la eficacia de la curación de Cristo según él ha previsto y no del modo como podrían pensar los leprosos, la rareza de la virtud de la gratitud, la fina sensibilidad del corazón del Señor que facilita y advierte los gestos más nobles del alma humana cuando recibe un beneficio. Al Señor le admira la gratitud de un pobre extranjero y le sorprende la ingratitud de los judíos curados y que no vuelven a agradecerle el milagro, según queda de relieve en estas tres preguntas: "¿No quedaron limpios los diez? Los otros nueve, ¿dónde están? ¿No ha habido quien volviera a dar gloria a Dios sino este extranjero?" (Lc 17, 17-18).

f. El ciego de Jericó (Lc 18,35-42)

Cerca ya de Jerusalén, en la subida del Señor para su pasión y muerte, se acerca a Jericó. Es la ocasión para otra manifestación de su amor generoso, esta vez ante un ciego que pide limosna junto al camino por donde pasaba el Maestro. Al principio Jesús no se entera y los que le acompañan no parecen querer acceder a la petición del ciego. Luego el Señor se da cuenta de los gritos repetidos del ciego, se detiene y manda que se lo lleven. Entabla un diálogo esencial y directo con este necesitado y la generosidad de Jesús le concede la recuperación de su vista.

Mucho podemos aprender de Jesús y del ciego en este pasaje. Del Señor, a provocar el encuentro 'pasando por allí', a no hacernos sordos a las necesidades ajenas, a superar los obstáculos que se interpongan entre los necesitados y nosotros, a conocer por nosotros mismos las necesidades de las personas, a ser ágiles en nuestra respuesta eficaz a esas necesidades.

El ciego nos enseña cómo debe ser nuestra oración para 'tocar' el corazón de Dios. Ha de ser una oración sincera, un grito del corazón: "Hijo de David, ten compasión de mí" (Lc 18, 39). Una oración intensa, íntima y esencial, centrada sólo en Cristo y en él, superando la 'inoportunidad' de su petición según la gente que rodea al Maestro. Una oración confiada que pone en Cristo toda su esperanza. Una oración repetitiva que supera el respeto humano, el inicial silencio de Dios, el desinterés y las oposiciones ajenas. Una oración fecunda que ve cumplida su petición. Por último, una oración transformante: el ciego sale iluminado, transformado, agradecido a Dios y lanzado en su seguimiento.

Este ciego puede, en adelante, como todos nosotros, hacer suya esta reflexión de san Juan de Nápoles (...):

El Señor es mi luz y mi salvación, ¿a quién temeré? El hombre interior, así iluminado, no vacila, sigue recto su camino, todo lo soporta. El que contempla de lejos su patria definitiva aguanta en las adversidades, no se entristece por las cosas temporales, sino que halla en Dios su fuerza; humilla su corazón y es constante, y su humildad lo hace paciente. Esta luz verdadera que *viniendo a este mundo alumbra a todo hombre,* el Hijo, revelándose a sí mismo, la da a los que lo temen, la infunde a quien quiere y cuando quiere.

El que vivía en tiniebla y en sombra de muerte, en la tiniebla del mal y en la sombra del pecado, cuando nace en él la luz, se espanta de sí mismo y sale de su estado, se arrepiente, se avergüenza de sus faltas y dice: *El Señor es mi luz y mi salvación, ¿a quién temeré?* Grande es, hermanos, la salvación que se nos ofrece. Ella no teme la enfermedad, no se asusta del cansancio, no tiene en cuenta el sufrimiento. Por esto, debemos exclamar, plenamente convencidos, no sólo con la boca, sino también con el corazón: *El Señor es mi luz y mi salvación, ¿a quién temeré?* Si es él quien ilumina y quien salva, ¿a quién temeré? Vengan las tinieblas del engaño: *el Señor es mi luz.* Podrán venir, pero sin ningún resultado, pues, aunque ataquen nuestro corazón, no lo vencerán. Venga la ceguera de los malos deseos: *el Señor es mi luz.* Él es, por tanto, nuestra fuerza, el que se da a nosotros, y nosotros a él. Acudid al médico mientras podéis, no sea que después queráis y no podáis.[36]

---

[36] S. JUAN MEDIOCRE DE NÁPOLES, *Sermones*, n. 7

X. FARISEOS, ESCRIBAS Y AUTORIDADES

Quedan varios tipos de personas con las que el Cristo de san Lucas trata en distintas páginas de su evangelio: los fariseos, los escribas y los sumos sacerdotes. A ellos me referiré en el presente capítulo.

1. Los fariseos y los escribas

Desde las primeras páginas de este evangelio ha habido un cierto recelo y una sorda oposición de los fariseos y escribas ante el ministerio de Jesús en Israel. Los fariseos forman una secta dentro del judaísmo y se caracterizan por exigir a los demás la pureza y el rigor literal de las distintas leyes religiosas, pero descuidaban su espíritu. Los escribas son los doctores e intérpretes de la ley. Los dos grupos se alían cuando está de por medio la persona y la actuación de Jesús en Israel, pues ven comprometida la propia misión y constatan que son relegados por el pueblo que sigue con gusto al Maestro. Éste, en efecto, les enseña con autoridad, y no como los escribas y fariseos (cf Mc 1, 22).

En este contexto, hacia la mitad del evangelio de san Lucas, aparece un pasaje (Lc 11, 37-54), en el que un fariseo invita al Maestro a comer a su casa. El amor universal de Jesús accede y acepta la invitación. Ha venido a salvar a todos y ve una buena oportunidad para avanzar en la realización de esta misión.

Entra a la casa y se pone a la mesa sin las abluciones prescritas por la ley antes de comer, 'provocando' una situación que aprovechará para profundizar en su mensaje de salvación. El fariseo que lo ha invitado se admira de esta falta del Maestro. Lo advierte Jesús y toma pie para perfeccionar las actitudes de los creyentes en el cumplimiento de la ley. Por lo mismo, aun reconociendo la oportunidad de la observancia de la misma, reprocha exterioridades sin fondo en las comidas, el pago de los diezmos, la invitación a banquetes. Critica el que los fariseos hayan convertido las leyes en *leyes para los otros* y que ellos no muevan un dedo para cumplirlas. Y reprocha a los escribas el que, poseyendo la llave de la ciencia (de la ley), no hayan penetrado en el interior de la misma y se lo hayan impedido a quienes querían entrar.

Completa esta crítica con dos versículos que aparecen algunos capítulos más adelante (Lc 16, 14-15). Allí apunta a lo más profundo de sus conciencias y a los particulares juicios de Dios sobre las conductas humanas: creerse justo delante de los hombres no equivale a serlo. Este juicio lo da sólo Dios que conoce los corazones de los fariseos y es consciente de que su amor a las riquezas y su desprecio de Jesús los distancian de la salvación. Dios abomina en esos casos lo que los hombres consideran estimable (porque ven sólo las exterioridades y no penetran a fondo los corazones). Todas estas críticas del Maestro hacen que los fariseos y los escribas lo acosen cada vez de un modo más implacable (6, 11; 11, 53-54; 20, 19-20; 22, 2).

Con razón podría el Señor reprochar así a los fariseos y a los escribas:

> Me llamáis luz y no me creéis.
> Me llamáis camino y no me recorréis.
> Me llamáis vida y no me deseáis.
> Me llamáis maestro y no me seguís.
> Me llamáis señor y no me servís.
> Decís que soy rico y no me pedís.
> Decís que soy piadoso y no confiáis en mí.
> Decís que soy justo y no me teméis.[37]

El Señor nos enseña en este pasaje que no debemos arredrarnos ante los ataques de quienes no piensan como nosotros y pretenden difamarnos y destruirnos. Nos advierte que es necesario apuntar bien en nuestra conducta en las relaciones con Dios, con los demás y con nosotros mismos. Nos ayuda a distinguir lo esencial de lo accidental y a ordenar correctamente en nuestra vida nuestra escala de valores. Nos orienta a fijarnos primero en lo interior, en el corazón y en la conciencia, que han de iluminar y orientar todas nuestras actitudes y acciones exteriores. Nos libera de las ataduras de meras exterioridades sin espíritu y de la esclavitud espiritual y doctrinal de 'maestros' que imponen sobre los demás reglas y leyes que ellos no cumplen.

---

[37] ANÓNIMO, Inscripción en la catedral de Lübeck, Alemania.

También la conducta del fariseo que invita a su casa al Señor nos enseña algunas verdades importantes que interpelan las actitudes más profundas de nuestro corazón y nuestra conducta. No es coherente ante Dios quien hace consistir su religiosidad en el cumplimiento minucioso de preceptos secundarios, se escandaliza de que otros no imiten esta conducta y descuida lo principal en el cumplimiento de la ley: la limosna, la justicia y el amor de Dios. No es justo ante Dios el que acosa a su enviado con preguntas capciosas e insidias que buscan sorprenderle en algún error para deshacerse de él.

2. Los sumos sacerdotes y los ancianos

Para desarrollar este campo del trato de Jesús me valgo de varios pasajes de la quinta parte del evangelio de san Lucas, donde nos describe su ministerio en Jerusalén, que precede a su pasión y muerte.

Un primer pasaje presenta al Maestro que enseña todos los días en el templo con el disgusto creciente de las autoridades más importantes del pueblo de Israel, los sumos sacerdotes y los ancianos. Buscan matarlo pero no se atreven porque tiene a todo el pueblo prendido de sus labios (Lc 19,47-48).

Si no pueden de inmediato acabar con él, tratarán de desautorizarlo ante el pueblo y de restar de este modo importancia a su doctrina. Para ello urden un plan que se aprestan a realizar. Así se acercan a Jesús para preguntarle por el origen de su autoridad (Lc 20,1-8). Y son directos, pues de inmediato le preguntan: "Dinos, *¿con qué autoridad haces esto?*" (Lc 20, 2). Piensan así dejarlo en evidencia y en ridículo, obligándolo a callar su Buena Nueva y a retirarse del templo.

Desconocen la sagacidad del Maestro y la rapidez de sus reflejos. Les responde con otra pregunta: "El bautismo de Juan, ¿era del cielo o de los hombres?" (Lc 20, 4). Si la contestan, oirán la respuesta al interrogante que han planteado a Jesús. Al escuchar la pregunta, sus adversarios discurren juntos sobre la alternativa que vislumbran y sobre las consecuencias de cada posible respuesta. Optan por no responder y por lo mismo Cristo se niega también a indicarles con qué autoridad obra él.

Pero los ama y su amor humilde y misericordioso no quiere darlos por perdidos. Por lo mismo, les brinda otra oportunidad de salvación cuando propone una parábola al mismo pueblo que ha sido testigo de esta controversia entre el Maestro y los sumos sacerdotes y ancianos. La expone al pueblo para que la oigan todos y la comprendan especialmente estas autoridades oficiales. Es la parábola de los viñadores homicidas (Lc 20, 9-19).

Los sumos sacerdotes y los ancianos captan el mensaje profundo de la parábola y se exasperan aún más hasta el punto de querer ya aprisionarlo, pero desisten de su intento por temor al pueblo.

Sin embargo, no se dan por vencidos. E idean otra fórmula para sorprenderlo en alguna palabra y poderlo entregar al poder y autoridad del procurador. Esta vez se quedan en retaguardia y envían a Jesús algunos espías para preguntarle 'inocentemente' por la licitud del pago del *tributo al César* (Lc 20,19-26).

Aquí los sumos sacerdotes y los ancianos aparecen como son en realidad: vengativos, cobardes al no dar ellos mismos la cara, hipócritas en sus falsas alabanzas y al buscar engañar al Maestro, intrigantes con una astucia que, ante Jesús, resulta palmaria ingenuidad. Quieren comprometer a Jesús ante el procurador, máxima autoridad romana en esa periférica y revoltosa provincia del Imperio, para deshacerse de él. Conocen sus costumbres, su estilo, su mensaje. Para tal fin preparan, según ellos, un dilema que por ambas disyuntivas dé pie para acusar a Jesús ante la autoridad de Roma. Son maestros en el arte de adular: "Maestro, sabemos que hablas y enseñas con rectitud, y que no tienes en cuenta la condición de las personas, sino que enseñas con franqueza el camino de Dios" (Lc 20, 21).

El Señor penetra de inmediato sus intenciones, se mantiene digno y sereno, ve el fondo exacto de cada hombre situación o palabra y, en vez de acusar, dialoga, deja en evidencia a sus adversarios y se libra de ellos y de sus insidias venciendo el mal con el bien y dejando para todo el futuro de la humanidad el más importante principio para las relaciones entre la Iglesia y el Estado: "Dad al César lo que es del César, y a Dios lo que es de Dios".

Los sumos sacerdotes y los ancianos han perdido también esta controversia. Pero no cejarán en su enemistad y odio contra Jesús. Será ya en la pasión del Señor. Lo harán prisionero, lo ultrajarán, lo acusarán ante el Sanedrín y, escandalizados al oírle que se proclamaba Hijo de Dios, lo llevarán a Pilato el procurador para acusarlo con mentira (Lc 23 1-5). Dirán a Pilato que Jesús ha alborotado al pueblo, ha prohibido pagar tributos al César y se ha proclamado Cristo Rey.

Jesús no se defenderá en esta ocasión, puesto que ya llegado "vuestra hora y el poder de las tinieblas" (Lc 22, 53). Pero este punto es ya tema de otro capítulo posterior.

En estos pasajes de la relación de Cristo con las autoridades religiosas y políticas de su pueblo resalta de un modo particular su humilde seguridad, su sencilla firmeza, su feliz sagacidad y, sobre todo, sus indecibles esfuerzos por hacer recapacitar a corazones endurecidos y seguros de sí mismos que no han sabido abrirse ante los medios normales que la Providencia dispuso para atraerlos al Señor.

Pero no les bastaron los milagros ni la predicación de Cristo. De allí que el Señor haya aceptado algunas controversias con ellos (Lc 20, 1-8), o que haya empleado parábolas más comprometedoras para él y para estos oyentes (Lc 20, 9-19), o que haya diluido sus dilemas con la fuerza de principios que serían luz perenne para la humanidad (Lc 20, 20-26), o que, sólo en último término, haya optado por las duras y directas invectivas contra sus posturas equivocadas (Lc 11, 37-54). Todos estos recursos son manifestaciones de un amor divino, vigilante y esperanzado que intenta despertar a estos hombres poderosos e influyentes de su profundo letargo espiritual.

TERCERA PARTE

RELACIONES CONSIGO MISMO

"NO SE HAGA MI VOLUNTAD, SINO LA TUYA" (Lc 22, 42)

XI. CRISTO HUMILDE

Vistas las relaciones de Cristo con su Padre y con los demás en las dos primeras partes del libro, corresponde ahora enfocar la atención, sin ánimo de ser exhaustivo, a las relaciones de Cristo consigo mismo. ¿Cómo ilumina en este punto san Lucas? ¿Qué aspectos importantes revela de la personalidad del Señor que completen los ya ofrecidos en los capítulos anteriores?

Para responder a estas preguntas empezaré por la vida pública del Señor, incluyendo también su pasión, muerte y resurrección. Dentro de estos límites una primera virtud que resalta a nuestra consideración es la humildad y mansedumbre del Señor.

Recorriendo las páginas del tercer evangelista encontramos un pasaje en el que el Señor nos da una lección de la humildad que él vive. Es una escena breve, contenida en tres versículos (Lc 9, 46-48). Los doce que acompañan a Jesús entre ellos *discuten quién es el mayor.* Él Maestro de la humildad, que conoce lo que hay en el hombre, no se impacienta ni escandaliza por el tema de la discusión. Acepta a sus apóstoles como son, con sus intenciones torcidas y sus delirios de grandeza.

En vez de reprenderlos, les da una sencilla lección que no consiste en una elevada teoría sobre la humildad. Simplemente toma a un niño, lo pone a su lado y les dice: "... El más pequeño entre todos vosotros, ése es el mayor." (Lc 9, 48). Es una respuesta que debió de sorprender y confundir a los apóstoles, acostumbrados a juzgar con una medida demasiado humana la grandeza y la pequeñez de las personas.

La humildad del Señor no los hiere al corregir sus errores. Va formando de este modo una nueva familia espiritual -su Iglesia- en la que la humildad será una nota de la autenticidad del buen discípulo.

Sólo san Lucas ofrece otros dos pasajes sobre la práctica de esta virtud. Se relacionan ambos con otra situación humana frecuente y agradable: los banquetes. Un fariseo principal ha invitado al Maestro y éste observa cómo los demás convidados se preocupan por la *elección de los primeros puestos* (Lc 14,7-11). Nuevamente vemos a un hombre que, traicionado por su vanidad e ingenuamente incauto, busca aparecer el primero y disfrutar de los privilegios del mejor lugar en el banquete. Y Cristo aprovechará esta situación también para dejar una consigna en la *elección de invitados* (Lc 14,12-14).

El Señor capta la situación y, con una actitud humilde, busca curar la vanidad del corazón humano con dos oportunas parábolas sobre banquetes precisamente. El remedio para la vanidad del invitado y del anfitrión es la paradoja evangélica que nos ilumina en este momento: el que pierde (iluminado por el evangelio) gana, y el que gana (cegado por criterios humanos) pierde. Y se aplica tanto a los invitados como al anfitrión. El invitado educado en la humildad del Señor buscará el último lugar en los banquetes. El anfitrión instruido por Cristo invitará a sus banquetes a los pobres. Así ganarán los dos: el invitado, porque lo reconocerá el anfitrión y lo llamará para que suba más arriba; y el anfitrión, porque recibirá en la vida eterna la recompensa que no pudieron darle en este mundo los pobres que él invitó a su banquete.

Conviene recordar en este momento que Jesús, en su encarnación y en su nacimiento, 'elige el último lugar' al despojarse voluntariamente de su rango y hacerse como nosotros en todo, menos en el pecado (cf Fp 2,7). Además él mismo, al invitar a formar parte de su reino, no se fija primero en los ricos y poderosos de la tierra, sino en unos sencillos pescadores.

En la *entrada triunfal a Jerusalén* (Lc 19,29-40) , aunque el Señor acepta las alabanzas de los discípulos y de la muchedumbre, su actitud profunda es de mansedumbre. Muestra su humilde señorío divino sobre el asno y el dueño del mismo, no se envanece cuando escucha de labios del pueblo: "¡Bendito el Rey que viene en nombre del Señor!" (Lc 19,38), y defiende ante la justicia de los fariseos a sus discípulos que añadían: "Paz en el cielo y gloria en las alturas" (Lc 19,38).

Su triunfo es el de un Mesías manso y humilde que no deja en ridículo ni pisotea a sus opositores y que ha inspirado una creciente confianza a sus seguidores. Ha sabido pedir y aceptar su colaboración, ha actuado como buen pastor que precede a sus ovejas, éstas lo siguen porque conocen su voz y él sabe guiarlas con suavidad y firmeza evangélicas.

Ya en la última cena vuelve a suscitarse la discusión sobre *quién es el mayor* (Lc 22, 24-30). A la lección sencilla y 'en movimiento' de la ocasión anterior (Lc 9, 46-48) resuelta con la presentación de un niño, sucede en esta ocasión una reflexión más profunda y seria, iluminada con una constatación de la vida de los reyes y de los gobernantes. La grandeza de éstos depende del número y de la calidad de sus súbditos, su autoridad se ejerce como un dominio absoluto sobre el pueblo e incluso así se hacen llamar 'bienhechores' (Lc 22,25).

En el nuevo reino que Cristo ha instaurado no se siguen estos criterios de dominio. La norma y consigna es distinta y auténticamente revolucionaria. *La autoridad es un servicio,* no una conquista personal o militar, ni un premio conseguido por méritos propios, ni la siguiente etapa de un escalafón... El mayor en el nuevo reino es como el menor y el que manda sirve. Y se pone a sí mismo como ejemplo, pues desde el inicio ha estado entre los apóstoles como el que sirve.

San Agustín, con su habitual tino y profundidad, reflexiona así sobre la consigna que nos marca el Señor en el evangelio de san Mateo (11, 29):

Aprended de mí. ¿Qué? ¿Que en el principio existía la Palabra y la Palabra estaba junto a Dios y la palabra era Dios, y todo fue hecho por ella? (Jn 1,1-3). ¿Acaso podemos aprender de él a fabricar el mundo, a llenar el cielo de luminarias, a regular la sucesión de días y noches, a ordenar el paso de los tiempos y los siglos, a otorgar fuerza a las semillas o a poblar la tierra de animales? Nada de eso nos manda aprender el maestro: eso lo ha hecho en cuanto Dios.

Mas puesto que ese Dios se dignó ser también hombre, escucha para recrearte lo que hizo en cuanto Dios y oye para imitarle lo que hizo en cuanto hombre. Aprended de mí, dijo. No a crear el mundo, ni otras naturalezas ni las restantes cosas que hizo él, Dios oculto y hombre manifiesto. Ni siquiera dijo: "Aprended de mí a expulsar la fiebre de los enfermos, a arrojar los demonios, a resucitar a los muertos, a imperar a los vientos y olas, a caminar sobre las aguas.

Cuando dice: Aprended de mí, lo dice a todos; nadie ha de sentirse dispensado de este precepto: Aprended de mí que soy manso y humilde de corazón. ¿Por qué dudas en cargar con este peso? ¿Es acaso carga pesada la piedad y la humildad? ¿Es carga pesada la fe, la esperanza, el amor? He aquí lo que hace a uno manso y humilde.[38]

Es ésta una de las lecciones más importantes de todo el evangelio y una de las manifestaciones más auténticas de la humildad del Salvador. Y queda siempre como ideal y como tema de examen diario para todos los que, en la Iglesia o en la

---

[38] S. AGUSTÍN, *Sermones*, 164, 4-7

sociedad, ejercen alguna función de autoridad: jerarquía eclesiástica, superioras y superiores religiosos, padres de familia, responsables de la vida política, económica, militar... Todo seguidor auténtico de Cristo debe medir la autenticidad de su humildad por este sencillo y luminoso principio: su autoridad es un servicio.

Los frutos de una humildad auténtica son múltiples: no busca imponer sus criterios, métodos o experiencias. Escucha y acepta los comentarios y aportaciones de los demás. Forma una comunidad en la que cada miembro se siente respetado y promovido. Es flexible, sabe pedir perdón, está siempre disponible para corregir y rectificar...

XII. TRABAJADOR INCANSABLE

Otra instantánea de la persona del Cristo que nos describe san Lucas en muchos momentos es su trabajo incansable en la viña de su Padre, es decir, su celo apostólico. Elijo algunos pasajes de su vida pública en que destaca esta faceta del Maestro.

1. Trabajo en Cafarnaún (Lc 4,31-43)

Al inicio de su ministerio en Galilea *vemos su trabajo en Cafarnaún* (Lc 4,31-43). Él había dicho a su entrada en el mundo: "He aquí que vengo para hacer tu voluntad" (Hb 10,5). Es consciente de que se enfrenta a una misión difícil y de que dispone de un tiempo limitado. Sabe que 'la mies es mucha y los obreros pocos' (Lc 10,2). Por lo mismo, aprovecha cada una de sus jornadas con admirable intensidad, como el mejor obrero de su Padre, según lo vemos en Cafarnaún.

Primero advertimos que predica allí los sábados y lo hace tan bien que los oyentes se admiran porque les habla con autoridad (Lc 4,31-32). Después va a la sinagoga y su celo lo pone de inmediato en actitud de servicio (Lc 4,33-37). Se trata ahora de liberar a un endemoniado y lo hace ordenando a los demonios que salgan del hombre poseído ante el pasmo y la admiración de quienes contemplan la escena. Luego hace una pausa en su trabajo y va a la casa de Simón; la suegra de éste se halla enferma y él la libera de la fiebre (Lc 4,38-39). Al atardecer de ese mismo día cura a todos los enfermos que le presentan y mandaba a los demonios que salían de los posesos que no revelaran que él era el Hijo de Dios (Lc 4,40-41).

En la mañana del día siguiente sale y se va a un lugar solitario. Va a orar, según precisa san Marcos (1,35). La gente lo busca y trata de retenerlo, pero él les dice que debe predicar también en otras ciudades porque a eso ha sido enviado. Y va predicando por las sinagogas de Judea (Lc 4,42-44). Éste es el plan apretado de un día de apostolado de este Maestro.

Si reflexionamos sobre esta jornada de trabajo apostólico del Señor, podemos extraer reflexiones interesantes para saber discernir por dónde transcurre nuestro propio celo o el de otras personas dedicadas al apostolado. Advertimos que el suyo es un trabajo ordenado, con metas definidas en el espacio y en el tiempo, con dedicación total, con jerarquía de valores, aprovechando a fondo su tiempo en los encuentros buscados y ocasionales.

Descubrimos que Jesús no tiene un lugar fijo y exclusivo para realizar su apostolado: lo ejerce en la ciudad y en la sinagoga, en la casa de Pedro y en un lugar descampado. Tampoco tiene 'horas de oficina' que contengan o limiten su celo y sabe 'recortar' incluso las pausas de su legítimo descanso para servir. Se le ve siempre disponible y, en cuanto advierte una necesidad ajena, procura satisfacerla como hace aquí al curar a la suegra de Simón.

Y captamos también que Jesús es consciente de que necesita silencio y paz para estar con su Padre. Para ello es sabe prescindir de parte de su sueño por el bien superior de la oración y busca el mejor lugar para dialogar con su Padre.

No es de extrañar que el pueblo, ante un apóstol así, se maraville, lo necesite, lo busque y tenga la confianza necesaria para intentar retenerlo. Pero el Señor es consciente de que la suya es una misión universal; sabe que se debe a todos y, por ello, actúa responsablemente su programa: "También a otras ciudades tengo que anunciar la Buena Nueva del Reino de Dios, porque a esto he sido enviado" (Lc 4,43). Así nos da ejemplo de otra faceta del apóstol: mantener libre el corazón para la misión, sin apegarlo a lugares, personas o trabajos concretos.

2. Diversas parábolas

Además de su ejemplo de trabajador incansable, destaca esta misma faceta en algunas de las parábolas que nos presenta san Lucas.

Una primera es la *parábola del sembrador* (Lc 8,4-15). Durante la primera parte de su vida pública, en su ministerio en Galilea, Cristo se encuentra ante una gran multitud procedente de muchas ciudades. Su celo advierte que se halla ante una buena oportunidad para enseñarles en qué consiste el trabajo del buen apóstol: es la siembra generosa y universal de una semilla -la Palabra de Dios- en todos los terrenos que encuentra -los corazones de los hombres-. Aun sabiendo que la cosecha que va a recoger será distinta según las disposiciones de cada terreno, él no deja de sembrar en el tiempo limitado que tiene, 'mientras es de día' (Jn 9,4).

Nos enseña así Cristo algunas cualidades del trabajador incansable: conseguir la semilla, ir al campo 'sin que le asuste la sed ni el calor' -como dice un canto litúrgico actual- lanzar generosamente la semilla en toda la extensión del terreno durante el corto tiempo que dura la siembra, confiar en la labor interior que el Padre y el Espíritu Santo realizan en cada alma y en los distintos 'fenómenos meteorológicos' que pondrán su parte en esta labor del sembrador, esperar el tiempo necesario hasta la cosecha, no extrañarse de los diversos porcentajes del rendimiento de los distintos terrenos. Lecciones importantes de realismo antropológico y sobrenatural, dedicación serena y constante al trabajo en el propio campo, paciencia y confianza en la Providencia.

A lo largo de la historia de la Iglesia en muchos campos ha fructificado generosamente la semilla plantada por el divino Sembrador. Presento el testimonio de un sacerdote jesuita, el P. Cañete, cuyas inquietudes de santidad revela a un joven estudiante. Bien pueden servirnos de estímulo y examen:

Cuanto más vive uno, más va entendiendo el tesoro inmenso que tiene en Jesús. Tú ahora eres joven. Tu corazón es tierno, tu imaginación ardiente, tus ideales de color de rosa. Yo ya soy un viejo que he recibido muchos desengaños. Ilusiones aquí abajo, ninguna tengo. Y sin embargo, en el seno de la confianza te lo diré: siento la imaginación ardiente, siento el corazón tierno, siento ideales novísimos que me encantan, siento en la vida deseos vivísimos, urgentísimos de conocer a Jesús, de amar apasionadamente a Jesús. Siento bullir en mi corazón y en mi mente ideales de hacer algo, todo por Jesús; de padecer algo, todo por Jesús. Y cuanto hago, y cuanto padezco, y cuanto amo, me parece nada en comparación de lo que quiero, sueño y deseo.

La *parábola del buen samaritano* (Lc 10,30-37) encierra en sus versículos otras cualidades del trabajador incansable evangélico, distintas de las que presentan otros personajes de la misma parábola.

Jesús se halla en la primera parte de su ministerio y está empezando su subida a Jerusalén. Ha señalado el amor a Dios y al prójimo como el camino para alcanzar la vida eterna, en respuesta a la pregunta de un escriba que buscaba tentarlo y que, insatisfecho con las palabras del Maestro, pregunta: "¿Y quién es mi prójimo?" (Lc 10,29). Jesús responde con la parábola que todos recordamos: el hombre asaltado y abandonado al borde del camino, el sacerdote y el levita judíos que lo miran en esa situación y pasan de largo, la compasión práctica del buen samaritano.

Esta parábola nos sirve para descubrir distintas actitudes ante la necesidad ajena. Las dos primeras son de 'profesionales de la religión', el primero de ellos ya formado (el sacerdote), el segundo en período de formación (el levita). Ninguno de los dos se compromete con la necesidad del hombre asaltado, abandonado a su suerte y medio muerto. Seguramente tenían 'cosas más importantes' por realizar y no disponían del tiempo suficiente para ocuparse de atender al herido y abandonado al borde del camino. Los reclamarían su familia, sus negocios, su descanso... y no se encontraban en 'horas de servicio'.

Ha de venir en tercer lugar un extranjero, el buen samaritano, a hacerse cargo del hombre asaltado y a mostrarnos las actitudes profundas del corazón de Jesús, trabajador incansable en la viña de su Padre. Así Jesús, el buen samaritano, nos enseña a 'ver' de modo distinto con los ojos de Dios las necesidades del prójimo, a 'conmovernos en el corazón' por estas necesidades, a 'acercarnos' al hermano malherido, a 'curarlo' con el aceite y el vino de nuestra comprensión práctica , a 'comprometernos con su necesidad' montándolo en nuestra cabalgadura hasta llevarlo a la posada, a 'desvelarnos' a su lado cuidándolo, a 'pagar' con nuestros recursos los gastos de su curación, a 'no desentendernos de inmediato de él y a seguir su caso' hasta 'nuestro regreso' a esa posada.

Toda la vida de Cristo, desde su encarnación hasta su ascensión, es una cadena ininterrumpida de estos 'servicios de buen samaritano', de 'médico' que dispone de muchas medicinas y que él aplica generoso 'al herido' que es la humanidad, la Iglesia, la sociedad, la familia, cada corazón humano. Así lo sintetiza san Ambrosio en una de sus obras:

"Y vendó sus heridas untándolas con aceite y vino" Este médico tiene infinidad de remedios, mediante los cuales lleva a cabo, de ordinario, sus curaciones. Medicamento es su palabra; ésta, unas veces, venda las heridas; otras sirve de aceite, y otras actúa como vino. Venda las heridas cuando expresa un mandato de una dificultad más que regular; suaviza perdonando los pecados, y actúa como el vino anunciando el juicio.[39]

Entre las parábolas de Cristo, trabajador incansable en la transmisión de su mensaje, destaca también otra de gran trascendencia que inculca la *necesidad de la vigilancia* (Lc 12,35-48). Emplea la imagen de los siervos que han de aguardar con las lámparas encendidas a su amo todas las horas de la noche. Son administradores que han de distribuir con fidelidad y prudencia el trigo a su tiempo, sin excederse en ningún sentido pensando que el amo está lejos y no los ve.

Jesús ama mucho a sus discípulos y desea que no se desvíen ni abusen de la confianza que él deposita en ellos. Por lo mismo les advierte que han de dedicarse con totalidad y honestidad a su misión de siervos vigilantes y de administradores fieles y prudentes. Para ello deben estar despiertos en los distintos momentos de la noche, tener ceñidos los lomos y encendidas las lámparas y administrar con justicia los bienes del amo. Él mismo completa la enseñanza de este pasaje algún capítulo más

---

[39] S. AMBROSIO, *Exposición sobre el evangelio de Lucas*, 7, 75: CCL 14, 239.

adelante, cuando les propone la parábola del administrador infiel, que aparece sólo en el evangelio de san Lucas (Lc 16,1-13).

Para realizar la tarea de siervos o administradores los motiva con dos recursos pedagógicos perennes: el premio y el castigo. El premio si vigilan y son fieles, el castigo si se duermen y abusan de la confianza y de los bienes del amo tratando incluso con prepotencia ante sus compañeros de servicio.

Conviene repasar este pasaje en las diversas circunstancias y etapas de nuestra vida. En ocasiones es posible que nos estimule más el premio que Jesús nos promete. Habrá también posiblemente otras veces en que el castigo que nos anuncia nos detenga ante el mal que se halla frente a nosotros o que nosotros buscamos, olvidados de la hora imprevista del regreso del amo.

Y hemos de aprender también de Jesús a emplear sabiamente estos dos mismos recursos para motivarnos nosotros mismos o para motivar a otros sobre los que tengamos alguna autoridad: hijos, alumnos, colaboradores en una tarea común profesional, apostólica, deportiva...

Hay otra parábola que Jesús presenta a sus seguidores en esa larga subida a Jerusalén y que es exclusiva de san Lucas. Es la de *los siervos inútiles* (Lc 17,7-10). En ella podemos descubrir el pensamiento profundo del Señor respecto al servicio que hemos de prestarle y al que él mismo presta a su Padre celestial en su trabajo incansable por predicar y extender el Reino.

Por ella advertimos que el hombre -y Jesús entre ellos- es un siervo, que su jornada transcurre intensamente en el trabajo del campo; que sirve como algo normal a su señor también al regresar del trabajo y que ha de reconocerse con humildad inútil aun después de haber hecho todo lo que tenía que hacer. Quiere el Señor que nos desprendamos de la vanagloria y aprendamos a trabajar siempre y sólo por él. San Juan Crisóstomo presenta esta última reflexión en el siguiente fragmento de una de sus homilías:

"Cuando hayáis hecho todo lo que se os ha mandado, decid: Somos unos siervos inútiles". Con estas palabras nuestro Señor Jesucristo quería prevenir a sus apóstoles para que estuvieran lejos del veneno de la vanagloria. Mira, hermano, que aspirar a la gloria humana y practicar las buenas acciones con ese fin no vale de nada. Si después de hacer el bien, el orgullo hincha el corazón, ahí termina todo sacrificio, tiene lugar el empobrecimiento y no se gana nada.[40]

Y deducimos también que Dios es enemigo declarado de la pereza como lo testimonia Jesús en cada página del evangelio y como lo predica con su palabra en esta parábola y en otras semejantes, como la parábola de las minas (Lc 19,11-28) o parábola de los talentos, en la formulación de Mateo, más conocida (Mt 25,14-30).

---

[40] S. JUAN CRISÓSTOMO, *Homilías sobre el Génesis,* 31: PG 53, 284.

3. El crisol de las dificultades

Jesús se muestra también como trabajador incansable de la viña del Padre ante las dificultades que debe afrontar en toda su vida. Cristo es consciente de que se enfrenta a una misión difícil y que ésta también para él significará una conquista laboriosa y lenta. Por ello se presentará ante estas dificultades esforzado y combativo, tenaz y perseverante sin volver la cara atrás (Lc 9,61-62) porque quiere dar ejemplo a quien quiera ser apto para el reino de los cielos. Ha venido a traer fuego a la tierra y se siente anhelante hasta que se cumpla (cf Lc 12,49-50).

Veamos ahora algunas que aparecen sólo en el evangelio de san Lucas para valorar más el amor fiel de nuestro Señor, agradecerle su testimonio y procurar asimilarlo en nuestras vidas, también ellas sujetas a pruebas de distintos tipos en todas las etapas de nuestra existencia.

Una primera es la *mala acogida de los samaritanos* (Lc 9,51-56). En ella el Señor se nos muestra como un apóstol previsor que tiene un 'calendario' que lo va acercando a los días de su 'asunción' (v. 51). Como él solo no alcanza a hacerlo todo, sabe delegar tareas en sus discípulos que van a prepararle posada en un pueblo de Samaria (v. 52). Él no se arredra ante el rechazo de los samaritanos, un grupo humano al que viene a salvar, al que ama y al que pone incluso como ejemplo de observancia a los judíos (cf Lc 10,30-37). Sabe vencer el particularismo y el aldeanismos religioso de los samaritanos, que lo rechazan a él y a sus discípulos 'porque tenían la intención de ir a Jerusalén' (v. 53). No es un apóstol vengativo y justiciero que emplee sus poderes para castigar a quienes lo rechazan (v. 54). Llama la atención de sus discípulos por querer quemar con fuego divino a los samaritanos (vv. 54-55).Y, por último, tiene la flexibilidad y la cordura de cambiar el plan previsto inicialmente para continuar realizando su misión evangelizadora en esa región (v. 56).

Jesús afronta también las *intimidaciones de Herodes* (Lc 13,31-33). Se le acercan los fariseos y le piden que salga de Jerusalén porque Herodes quiere matarlo (v. 31). Pero el Señor no se deja intimidar y no 'saldrá' de Jerusalén hasta que no haya completado el trabajo que el Padre le ha encomendado (v. 33).

Estas dificultades sirven al Señor para darnos ejemplo de una singular paciencia, esa virtud que vivió con heroísmo y que Tertuliano (c. 160 - 220) recomienda de este modo a los creyentes:

La paciencia fortifica la fe, establece la paz, fomenta la caridad, funda la humildad, facilita la práctica de la penitencia, gobierna el cuerpo, defiende el espíritu, enfrena la lengua, liga las manos, vence las tentaciones, disipa los escándalos, consuma el martirio, consuela al pobre, modera al rico, disminuye los males, templa los bienes, consuela a los siervos y a sus dueños, da esmalte a la belleza de una mujer y honor a los hombres. La paciencia es amable en los niños, laudable en los jóvenes y respetable en los ancianos.[41]

---

[41] TERTULIANO, *De patientia*, c. 15

El Señor resiste también al *rechazo de Jerusalén* en un pasaje inmediatamente posterior (Lc 13,34-35). En él nos enseña cómo su trabajo incansable choca con el único límite que se ha impuesto voluntariamente el Señor en su relación con sus hijos: la libertad humana. De allí el apóstrofe que dirige conmovido a la ciudad: "Jerusalén, Jerusalén, que matas a los profetas y apedreas a los que te son enviados. ¡Cuántas veces he querido reunir a tus hijos, como una gallina su nidada bajo sus alas, y no habéis querido! (vv. 34-35). Nos muestra, así, su repetida impotencia ante la negativa y la cerrazón de Jerusalén al mensaje salvador y nos manifiesta la actitud amorosa que él conserva para con la ciudad, el abandono inmediato que la aguarda y la promesa de su regreso a una Jerusalén finalmente arrepentida que dirá: ¡Bendito el que viene en nombre del Señor!

Algunos capítulos más adelante se encarga san Lucas de mostrarnos una de las facetas más entrañables y humanas de este trabajador incansable: *su llanto por Jerusalén* (Lc 19,41-44), prueba del amor a la capital de Israel que no conoce el mensaje de paz que le ofrece el Señor inmediatamente después de su entrada triunfal en ella. Jesús se ha acercado a la ciudad, la ha contemplado desde el monte de los Olivos -el lugar conocido actualmente como 'Dominus flevit'-, le ofrece una última oportunidad para hallar la verdadera paz que le viene de su aceptación del Señor, pero fracasa en su intento. Y le profetiza un justo castigo que conllevará la destrucción del templo hasta no dejar en la ciudad piedra sobre piedra.

La ciudad se nos muestra como un grupo humano ligero, objeto del llanto divino, interpelado por el amor de todo un Dios que busca su paz. Pero también la vemos obcecada y, en el futuro, asediada y destruida justificadamente.

Todos estos pasajes nos revelan a un Jesús, trabajador incansable, que vive así en actitud de una continua y valiente milicia sobre la tierra, según había experimentado el justo Job (7,1; 14, 1). Y nos estimulan a agradecer su ejemplo y a imitar su celo por las almas en el ambiente en el que el Señor nos ha colocado: en nuestra familia, en nuestra comunidad de religiosos o consagrados, en el presbiterio diocesano, en la sociedad, en nuestra nación, en el mundo y en la época actual. Cada uno de nosotros tiene mucho que aprender del Señor y que aportar viendo las necesidades que surgen y crecen a su alrededor...

Concluyo este capítulo con una reflexión sintética y rica de Teodoreto de Ciro (393 - 466) sobre las dificultades que debió afrontar Cristo y que nos permiten valorar y agradecer más el amor que el Señor nos manifiesta:

> Jesús acude espontáneamente a la pasión que de él estaba escrita y que más de una vez había anunciado a sus discípulos, increpando en cierta ocasión a Pedro por haber aceptado de mala gana este anuncio de la pasión, y demostrando finalmente que a través de ella sería salvado el mundo. Por eso, se presentó él mismo a los que venían a prenderle, diciendo: Yo soy a quien buscáis. Y cuando lo

acusaban no respondió, y, habiendo podido esconderse, no quiso hacerlo; por más que en otras varias ocasiones en que lo buscaban para prenderlo se esfumó.

Además, lloró sobre Jerusalén, que con su incredulidad se labraba su propio desastre y predijo su ruina definitiva y la destrucción del templo. También sufrió con paciencia que unos hombres doblemente serviles le pegaran en la cabeza. Fue abofeteado, escupido, injuriado, atormentado, flagelado y, finalmente, llevado a la crucifixión, dejando que lo crucificaran entre dos ladrones, siendo así contado entre los homicidas y malhechores, gustando también el vinagre y la hiel de la viña perversa, coronado de espinas en vez de palmas y racimos, vestido de púrpura por burla y golpeado con una caña, atravesado por la lanza en el costado y, finalmente, sepultado.[42]

---

[42] TEODORETO DE CIRO, *Sobre la encarnación del Señor,* 26

XIII. CRISTO FIEL

San Lucas nos transmite también en distintas páginas de su evangelio otro rasgo de la personalidad del Señor: su fidelidad. Es el tema del presente capítulo. Si buscamos en un diccionario el significado del adjetivo "fiel" podemos encontrar: digno de confianza, leal, constante en el cumplimiento de sus obligaciones, exacto en la ejecución de algo. Todas estas acepciones convienen e incluso se quedan cortas si las aplicamos a las actitudes profundas y a las acciones del Señor, según iremos viendo al analizar distintos pasajes del tercer evangelista.

1. Las tentaciones de Jesús (Lc 4,1-13)

Después de los treinta años de vida oculta en Nazaret, Jesús abandona su casa y, lleno del Espíritu Santo y dirigido por él, se retira al desierto para orar durante cuarenta días.

Esta escena es una de las primeras de la vida pública del Señor, inmediatamente después de su bautismo en el Jordán. En este pasaje el demonio accede afronta a Jesús después de ese período de oración en el que no ha comido nada. Y enfoca su primera tentación a la realización de un milagro que el Señor podría hacer para alimentarse, convirtiendo una piedra en pan. No obtiene resultado y apunta a algo más sutil: el poder sobre el mundo, ofrecido a Jesús si éste adora al demonio. Tampoco logra el demonio su fin en esta ocasión. No desiste y enfoca su ataque a otro aspecto atractivo para todo mortal como es la fama y el reconocimiento fácil. Jesús vence al demonio aduciendo de nuevo un oportuno texto de la sagrada escritura, meditado y vivido por él.

El siguiente texto de Madre Teresa (1910 - 1997) nos permite 'actualizar' la segunda tentación de Jesús. Se trata de un fragmento de los primeros pasos de la fundación de las Misioneras de la Caridad y aparece con claridad la misma promesa del tentador: "Basta que digas una palabra y todo esto será tuyo de nuevo":

> Hoy aprendí una buena lección: la pobreza de los pobres debe ser a menudo tan dura para ellos. Cuando deambulé buscando casa, caminé y caminé hasta que me dolían las piernas y los brazos. Pensé que a ellos también les debe dolor el cuerpo y el alma cuando buscan un hogar, comida, ayuda. Entonces la tentación se hizo fuerte: los edificios lujosos de Loreto vinieron rápidamente a mi mente; todas las cosas bonitas y las comodidades, la gente con la que se relacionan, en una palabra, todo. "Basta que digas una palabra y todo esto será tuyo de nuevo", continuó diciendo el tentador.

> Por mi libre elección, mi Dios, y por amor hacia ti deseo permanecer y hacer cualquiera que sea tu santa voluntad respecto a mí. No dejé caer una sola lágrima. Incluso si debo sufrir todavía más, aun así quiero hacer tu santa voluntad. Ésta es la noche oscura del nacimiento de la

Congregación. Dios mío, dame valor ahora, en este momento, para perseverar en tu llamada.[43]

Entre las lecciones que el Señor nos permite aprender en este pasaje podemos enumerar las siguientes. Una misión importante ha de iniciar por un período dilatado de oración. La tentación es parte necesaria de nuestra condición humana y ni el mismo Salvador se ha querido privar de esta experiencia, consciente de que todos necesitaríamos contemplar su ejemplo en nuestras tentaciones. Mantener la serenidad y la lucidez espiritual es clave para obtener la victoria. La mejor preparación para vencer la tentación pasa por varios medios perennes y seguros: una oración sincera y confiada, la agilidad para descubrir las acechanzas del enemigo, el rechazo de todo diálogo o componenda con él, el refugio oportuno y ágil en la palabra de Dios, la perseverancia en estas actitudes.

Aparecen también algunos rasgos del demonio que conviene tener presentes en nuestra vida cristiana. Satanás envidia la relación que el hombre tiene con Dios y hace todo lo posible por tentar al ser humano para romper su relación con Dios y hacerle perder lo que él tiene irremisiblemente perdido: el goce perpetuo de Dios en el cielo. Conoce bien el corazón del hombre, de cada individuo, con sus posibilidades y debilidades y los distintos 'momentos' por los que pasa su fidelidad a la misión y su respuesta a Dios. Prepara bien sus ataques, si es preciso con

---

[43] TERESA DE CALCUTA, *Ven, sé mi luz,* Planeta-Testimonio, 2008, p. 168 - 169

un conocimiento y un uso taimado de la Sagrada Escritura. No se da por vencido a la primera, sino que insiste por distintos flancos para hacer caer al tentado.

Aunque nuestras tentaciones no sean idénticas a las del Señor, hemos de estar atentos porque el enemigo de nuestras almas no descansa. Querrá también alejarnos de Dios y de la línea de fidelidad que nos mantiene unidos a él. Nos sugerirá que no hay que ser exagerados en el cumplimiento de nuestros deberes y que aflojando un poco no pasará nada. Pondrá ante nuestros ojos anteriores faltas nuestras o ajenas, experiencias negativas, limitaciones, dificultades objetivas o subjetivas, temores por nuestra salud física y psicológica... Buscará que caigamos en un activismo que poco a poco irá secando nuestra fuente espiritual y cortando los hilos que nos unen a Dios. Se vestirá de ángel de luz. Hará lo posible e imposible 'rondando como león rugiente y buscando a quién devorar' (1Pe 5, 8). La solución nos la marca sintéticamente el mismo apóstol Pedro a continuación: 'Resistirle fuertes en la fe' (1Pe 5, 9).

Esa fuerte resistencia es fruto y manifestación de un fuerte desprendimiento que conviene vayamos incrementando a lo largo de nuestra vida. Y no se trata principalmente de actos heroicos, que se presentarán muy rara vez o nunca en nuestra vida. Se trata sobre todo de pequeños actos de desprendimiento durante nuestras jornadas: no tomar una taza de café, tomar un poco menos de un postre que gusta, fumar algunos cigarrillos menos, ver algo menos de televisión, cortar una crítica en una conversación... Cada pequeño acto de éstos fortalece mi capacidad de dominio y de desprendimiento y me capacita para resistir fuerte en la fe a las tentaciones del enemigo.

2. La vigilancia (Lc 12,35-48)

Ya en plena vida pública del Señor, hacia la mitad del evangelio de san Lucas, encontramos otro pasaje relacionado con la fidelidad que vive y predica Cristo. Aparece entre distintas consignas del mensaje del Maestro. Desea que sus discípulos estén preparados para cuando vuelva el Señor. Lo estarán quienes permanezcan fieles, y permanecerán fieles quienes estén vigilantes. De aquí que la vigilancia sea la avanzadilla y la garantía de la fidelidad.

El mensaje del Señor es rico y concreto y aparece bien articulado en estos catorce versículos, desarrollando una situación humana perenne: las actitudes de unos siervos que esperan el regreso de su amo que está de boda (vv. 35-36). Alaba y pondera primero a los siervos que se mantienen despiertos en las distintas etapas de la noche (vv. 37-40). Pedro no capta quién es el destinatario de la parábola del Señor (v. 41). Esta pregunta permite a Jesús enriquecer su mensaje y lo hace añadiendo que el amo premiará al siervo fiel y prudente que administra con justicia sus bienes y lo pondrá al frente de toda su hacienda (vv. 42-44).

Pero el Señor, que conoce lo que hay en el hombre (cf Jn 2,25), completa su mensaje describiendo, por contraste, al siervo infiel.

Éste piensa que su señor tarda en venir y abusa de su poder. Viene el amo y lo castiga justamente (vv. 45-46), de modo proporcionado al conocimiento que tenía el siervo de la voluntad de su amo (vv. 47-48).

Jesús es el primer vigilante en la casa de su Padre. Y lo hace de dos modos. En primer lugar, oponiéndose a los enemigos del Padre y de su misión. Por ello expulsa del templo a los vendedores y llama Satanás a Pedro que busca apartar al Señor de la cruz. En segundo lugar, procurando transmitir con gran cuidado toda la doctrina que el Padre le ha confiado y que no es suya, como nos lo recuerda en el evangelio de san Juan (7, 16).

En estos pasajes y en otros muchos se nos ofrece como modelo de la vigilancia cristiana. Quiere que caigamos en la cuenta de que hay un final que nos aguarda a todos y todos desconocemos. Nos invita así a que nuestra actitud fundamental sea la vigilancia como una muestra de la prudencia evangélica y de la madura responsabilidad cristiana. Una vigilancia hecha, en el fondo, de atención a Dios, también en los momentos en que no advertimos su presencia en nuestra vida. Fray Juan de los Ángeles (1536 - 1609?) tuvo esa experiencia espiritual y nos da unas sugerencias breves y luminosas para semejantes períodos:

> Si no sientes a Dios en ti, trabaja con todas tus fuerzas hasta que le halles, desterrando de ti todo lo que para tanto bien te fuese impedimento o lo pueda ser, y escoge antes la muerte que hacer cosa contra la voluntad de Dios o consentir en un pecado, por leve que sea, y no te fatigues por

agradar fuera de Dios a creatura alguna: calla, reposa y sufre; confía en Dios, y lo que fuere de tu parte hazlo de buena voluntad; y créeme que muy en breve serás maravillosamente alumbrado para conocer las perfectísimas sendas de la vida interior.[44]

Una vigilancia que implica, además, atención a los demás y a nosotros mismos, que nos lleve a superar los escollos del sueño, el sopor, el despiste, la imprevisión y los abusos del siervo infiel e irresponsable. Además, como desconocemos el momento de la venida del Señor, nuestra vigilancia debe tener, entre otros, estos 'ingredientes': trabajo constante, pureza de intención, diligencia y cuidado para atender los intereses del Señor.

3. La parábola de las minas (Lc 19,11-27)

Algunos capítulos más adelante san Lucas nos permite profundizar algo más en la fidelidad de este Señor y a este Señor. Menos conocida que la parábola de los talentos, la parábola de las minas[45] es, como aquélla, una invitación a la fidelidad y a la responsabilidad.

---

[44] FRAY JUAN DE LOS ÁNGELES, *Diálogos de la conquista del reino de Dios*, Dialogo primero, final.

[45] 'Mina' no tiene aquí el significado más común de lugar donde se extrae algún metal de la tierra. Debe entenderse como una cantidad importante de dinero. En la época de Jesús equivalía a unas cien dracmas o denarios, es decir, poco más del sueldo de un jornalero durante tres meses.

Las dos virtudes brillan en la persona del Maestro. Por ellas nos deja este otro aviso serio sobre el empleo de las minas que nos ha confiado para toda nuestra vida. Sólo así podrá decir en la última cena: "Todo lo que me he oído a mi Padre os lo he dado a conocer" (Jn 15,15).

La fidelidad del Señor consiste en vivir él mismo en el grado máximo esta responsabilidad ante su Padre celestial, ante sus discípulos, ante cada uno de nosotros, ante la historia de las religiones y la historia universal. En no rebajar ni un milímetro el contenido del mensaje de la Buena Nueva que el Padre le ha encomendado para toda la humanidad. Y en hacernos ver con claridad y de muchos modos la importancia de la responsabilidad en nuestra vida por las consecuencias eternas que se derivarán de la vivencia o del descuido de esta virtud.

Esta fidelidad no resulta fácil al Maestro. Hemos visto anteriormente cómo es una fidelidad sometida a distintas pruebas: las tentaciones en el desierto, las distintas preguntas capciosas de sus enemigos que buscan sorprenderle en alguna respuesta para acusarle ante las autoridades, el comentario desafortunado de Pedro que busca separar de la cruz al Señor 'rebajando' las exigencias del mensaje evangélico y limando sus aristas.

La parábola de las minas es, pues, uno de los muchos modos que Jesús emplea para inducirnos a adoptar una actitud responsable en toda nuestra vida.

En ella captamos, por un lado, el amor del señor que entrega las minas a sus diez siervos. Es el amor fiel de Dios que confía en la capacidad que él mismo ha dado al hombre y que se muestra con una liberalidad misteriosa en el reparto de las minas. Es, también, un amor exigente que se expresa en este imperativo: "Negociad mientras regreso" (Lc 19,13). El amor fiel de Dios se manifiesta igualmente en la justicia con que trata a los siervos según el trabajo realizado, y queda también patente en la recompensa generosa e insospechada con que premia su trabajo.

Del lado de los siervos llaman la atención algunas reflexiones que nos pueden resultar útiles en distintos momentos de nuestra vida: el 'negocio' en la mente del Señor no es una opción sino una obligación, el éxito en este negocio depende del trabajo y no de las meras intenciones, no vale ninguna excusa, lo que no se negocia se pierde, el premio del Señor supera la justicia y toda previsión humana. Nadie puede estar seguro de haber negociado siempre y en todo como el Señor quería. Por lo mismo, a todos nos conviene hacer nuestras estas dos breves súplicas de san Agustín:

Oh Señor, nada encuentro que turbe mi conciencia; pero quizá lo encuentres tú, que ves mejor y penetras en las cosas más ocultas. Sin duda ves algo que yo no descubro; quizá encuentras alguna falta donde yo no encuentro ninguna. Por ello digo: "No llames, Señor, a juicio a tu siervo". Perdona mis deudas. Tengo necesidad de tu misericordia.[46]

---

[46] S. AGUSTÍN, *Sermones*, 93, 14

Sí, en ti, Señor, esperaré, y no en mis méritos; esperaré en ti porque eres la salud de mi alma, tú me sanarás. Enfermo estoy y me dirijo a ti, porque reconozco en ti a mi verdadero médico; no me vanaglorio de estar sano (...). Dame tu gracia para estar vigilando en el bien. Quiero tocar el salterio de la obediencia a tus preceptos y la cítara de la paciencia en las tribulaciones.[47]

Se impone, pues, prescindir de la pereza y dedicarse al 'negocio' con la fuerza que imprime el amor a todas las actividades humanas. Hay que saber 'negociar' con esperanza en el Señor, con la jerarquía divina de valores, con profunda madurez humana y espiritual. En estas actitudes se halla en juego nuestra fidelidad, que ha de ser un reflejo nítido de la fidelidad del Señor a quien servimos.

---

[47] S. AGUSTÍN, *Sermones,* 49, 5

XIV. OBEDIENTE HASTA LA MUERTE

El presente capítulo nos delineará algunos rasgos de otra faceta de las relaciones del Señor consigo mismo: la obediencia heroica que lo lleva hasta la muerte de cruz. Aunque esta faceta se puede ver en muchos pasajes de san Lucas -que coincide en ellos con san Mateo y san Marcos-, he seleccionado unos pocos que me parecen más representativos para contemplar, admirar e interiorizar la obediencia heroica del Maestro.

1. Getsemaní (Lc 22,39-46)

El primer pasaje, destacado entre todos los importantes, es la oración de Jesús en el huerto de Getsemaní. Concluida la última cena sale y se dirige al monte de los Olivos, como solía hacerlo en distintas ocasiones. Pero esta ocasión era la última y la más dura porque Getsemaní iba a ser testigo de la agonía misma del Señor y de su acto supremo de obediencia al Padre celestial.

Los discípulos lo acompañan y él los invita a orar recordándoles una de las peticiones del Padre nuestro: "Pedid que no caigáis en tentación" (Lc 22,40; cf 11,4). Él se aparta de ellos e inicia su lucha suprema entre el cumplimiento fiel de la voluntad del Padre y las exigencias de una naturaleza humana con una perfecta sensibilidad.

La gran ventaja de esta lucha -y consigna para todas las nuestras...- es que tiene lugar en un ambiente de oración.

Tampoco es que se trate de una oración fácil. La verdadera oración pocas veces es fácil, pues normalmente vemos en ella por un lado la belleza y el atractivo de Dios, y por otro la fuerza de nuestras tendencias que parecen teledirigirnos a la realización de la propia voluntad, al placer y a la comodidad.

La oración del Señor en Getsemaní es el momento en que vemos a Cristo más cercano a nosotros y a nuestras dificultades, a nuestros miedos y angustias, a la tendencia perenne de realizar nuestra propia voluntad en lugar de someternos a la voluntad de Dios. Por lo mismo, en esta oración de Jesús podemos aprender cuanto necesitamos para que triunfe en nosotros la voluntad del Padre, no sin las necesarias e inevitables luchas interiores.

Si nos inclinamos ante la oración de Jesús para contemplarla de cerca, advertimos su humildad al orar de rodillas, su confianza al tratar a Dios como Padre (no como juez, ser lejano y justiciero). Es una oración que expone filial y sinceramente sus dificultades, que no impone su voluntad sino que acepta la voluntad del Padre. Y las dificultades inmediatas que él prevé son tan duras que lo envuelven en una dolorosa situación de angustia que tiene sus redundancias físicas en el sudor de sangre que brota por su cuerpo. Cuanto más angustiado se ve, ora del mismo modo y con mayor insistencia. Necesita una compañía que busca inútilmente en sus discípulos, dormidos por la tristeza. Su Padre no lo abandona entonces, sino que envía a un ángel del cielo que lo conforta.

Getsemaní afianza al Señor en su resolución de afrontar "su hora", "vuestra hora y el poder de las tinieblas", como dirá inmediatamente después en su prendimiento (Lc 22,53), ese momento de su misión que lo turbaba al presentárselo en su vida pública (cf Jn 12,27), pues constituye el paso más difícil de su existencia.

Así pues, en Getsemaní Cristo nos revela el secreto de su obediencia heroica y de su perseverancia en la misión: la oración vigilante, humilde, insistente, breve y esencial, imprescindible para arrostrar todas las pruebas y dificultades de la vida sin sucumbir ante ellas, pero también sin aplazarlas, sin deformarlas y sin quejas ulteriores.

2. Jesús ultrajado y condenado (Lc 22,63-71)

Otro momento de la pasión del Señor en que brilla su obediencia nos lo refiere san Lucas en el capítulo 22 (vv. 63-71). Ya ha sido hecho prisionero en Getsemaní (Lc 22,47-51). Ahora vemos a Jesús primero en casa del sumo sacerdote (vv. 63-65), luego ante el sanedrín (vv. 66-71). En Getsemaní era la previsión de cada uno de estos pasos la que lo llevó a esa crisis de angustia.

Ahora ya no es la previsión, sino el sufrimiento humillante a que se ve sometido porque su amor al hombre se transforma en una obediencia que le acerca un paso más a su muerte en la cruz. Esta obediencia lo lleva a someterse a los distintos ultrajes de sus guardianes, sus burlas y maltratos sin oponer la más mínima resistencia, él que con sólo pedirlo podría haberse defendido en cualquier momento por doce legiones de ángeles (cf Mt 26,53).

Así pues, obedece "como oveja que es llevada al matadero y sin abrir la boca" (cf Is 53,7), permitiendo las humillaciones de sus guardianes que cubren su divino rostro con un velo, lo golpean y le piden que adivine quién le ha pegado (Lc 22,65). Obedece respondiendo al tribunal del sanedrín que le pregunta solemnemente si él es el Hijo de Dios, aunque sabe que esa respuesta lo va a llevar ante la autoridad romana de Pilato. Esa misma obediencia en el pretorio lo llevará a aceptar que el pueblo judío injustamente lo posponga a Barrabás, asesino y sedicioso (Lc 22,13-25), a pesar de que Pilato desea librarlo porque no ha encontrado en él que merezca la muerte.

El Señor en estos pasajes nos enseña a obedecer con humildad, heroicamente si es preciso, sobre todo si las órdenes son injustas, también cuando éstas proceden de autoridades oficiales. La redención de la humanidad pasa necesariamente por esta etapa que, cuando Dios la permite en nuestro caso, sirve también para el propio crecimiento espiritual y la purificación de nuestra soberbia y vanidad.

Aprendemos también cuánto premia Dios la obediencia heroica, según lo refleja san Pablo cuando escribe: "Cristo se humilló a sí mismo obedeciendo hasta la muerte, y una muerte de cruz. Por eso Dios los exaltó y le otorgó el Nombre que está sobre todo nombre." (cf Fp 2,8-9).

3. Viacrucis (Lc 23,26-32)

San Lucas nos presenta también la obediencia del Señor cuando éste acepta la cruz y la carga desde el pretorio hasta el calvario. Durante el trayecto, doloroso y humillante, vemos a un Jesús consciente de su dignidad, que acepta la ayuda de Simón de Cirene, atento al llanto de las mujeres que le seguían y preocupado de consolarlas, siendo él el condenado y quien más sufría.

San Gregorio Nacianceno (329? - 389) nos invita a acompañar a Cristo en su pasión tomando el puesto de las distintas personas que aligeraron un poco sus sufrimientos y le atendieron una vez muerto:

Inmolémonos nosotros mismos a Dios, ofrezcámosle todos los días nuestro ser con todas nuestras acciones. Estemos dispuestos a todo por causa del Verbo; imitemos su Pasión con nuestros padecimientos, honremos su sangre con nuestra sangre, subamos decididamente a su cruz.

Si eres Simón Cireneo, coge tu cruz y sigue a Cristo. Si estás crucificado con él como un ladrón, como el buen ladrón confía en tu Dios. Si por ti y por tus pecados Cristo fue tratado como un malhechor, lo fue para que tú llegaras a ser justo. Adora al que por ti fue crucificado, e, incluso si tú estás crucificado por tu culpa, saca provecho de tu mismo pecado y compra con la muerte tu salvación. Entra en el paraíso con Jesús y descubre de qué bienes te habías privado. Contempla la hermosura de aquel lugar y deja que fuera muera el murmurador con sus blasfemias.

Si eres José de Arimatea, reclama su cuerpo a quien lo crucificó y haz tuya la expiación del mundo.

Si eres Nicodemo, el que de noche adoraba a Dios, ven a enterrar el cuerpo y úngelo con ungüentos.

Si eres una de las dos Marías, o Salomé, o Juana, llora desde el amanecer; procura ser el primero en ver la piedra quitada y verás quizá a los ángeles o incluso al mismo Jesús.[48]

El comentario que había hecho a Juan cuando éste se resistía a bautizarlo -"Conviene que cumplamos toda justicia" (Mt 3, 15)-, tiene aquí nueva y dolorosa actualidad y es otra prueba de su fidelidad amorosa que se hace aquí obediencia heroica. Jesús nos da así ejemplo para cuando la cruz se cierna sobre nuestras vidas y nos venga la tentación de rechazarla, empequeñecerla, quitarle las aristas que pueden provenir incluso de una evidente y palmaria injusticia.

4. Crucifixión (Lc 23,33-38)

Getsemaní, los distintos juicios, el viacrucis culminan en la crucifixión del Señor sobre el calvario, capítulo culminante de su pasión y último acto de obediencia que lo lleva hasta la muerte.

---

[48] S. GREGORIO NACIANCENO, *Sermones*, 45, 24

Puede ayudarnos a valorar más el amor de Cristo la siguiente invitación de Víctor Hugo, del 4 de marzo de 1847, en el décimo aniversario de la muerte de su hermano Eugéne:

Tú que lloras, ven a este Dios que llora.
Tú que sufres, ven a este Dios que sana.
Tú que tiemblas, ven a este Dios que sonríe.
Tú que caes, ven a este Dios que perdona.
Tú que pasas, ven a este Dios que permanece.[49]

La obediencia de Jesús que nos presenta aquí solamente san Lucas es una obediencia que no tiene nada de justiciera ni de vengativa, sino que muestra su amor al hombre hasta el último instante y se manifiesta en el perdón de los pecados a toda la humanidad. Un perdón que no le resulta fácil, que implora a su Padre para todos y que procede de lo íntimo de su corazón. Un perdón que es sincero y delicado y que llega hasta a excusar el pecado de los hombres: "Padre, perdónalos porque no saben lo que hacen" (Lc 23,34). Cumple así el Señor la consigna que había dado a Pedro de perdonar al hermano hasta setenta veces siete (cf Mt 18,21).

Benedicto XVI nos ayuda a ponderar la gravedad y seriedad de nuestro pecado con el siguiente fragmento de una reflexión reciente al final de un Angelus:

---

[49] VÍCTOR HUGO, *Escrito al pie de un crucifijo* en: *Las contemplaciones*

Contemplando con los ojos de la fe al Crucificado, podemos comprender profundamente qué es el pecado, su trágica gravedad, y al mismo tiempo la inconmensurable potencia del perdón y de la misericordia del Señor. Durante estos días de Cuaresma, no apartemos el corazón de este misterio de profunda humanidad y de elevada espiritualidad. Al contemplar a Cristo, sintamos que al mismo tiempo somos contemplados por Él. Aquel a quien nosotros mismos hemos traspasado con nuestras culpas no se cansa en derramar sobre el mundo un torrente inagotable de amor misericordioso. Que la humanidad comprenda que sólo de esta fuente es posible sacar la energía espiritual indispensable para construir esa paz y esa felicidad que todo ser humano está buscando sin descanso.[50]

El perdón de Cristo aquí no es sólo de palabra y teórico. Se hace concreto e inmediato cuando responde a la petición del buen ladrón, que le pide se acuerde de él cuando llegue a su reino: "Hoy estarás conmigo en el paraíso" (Lc 23,43). Al trabajador incansable de la viña del Padre le faltaba este acto de obediencia y de celo apostólico. Si Cristo había sido enviado a salvar lo que estaba perdido (cf Mt 18,11), realiza esta parte de su misión hasta llegar a un paso de la muerte.

Con este perdón y esta promesa de inminente cumplimiento testimonia Cristo que no le importa el pasado de una

---

[50] BENEDICTO XVI, *Ángelus* del 24 de febrero de 2007.

persona, ni la opinión que tenga la gente cuando esa persona reconoce actualmente sus errores e implora a Jesús su recuerdo al llegar a su reino. Santa Faustina Kowalska (1905 - 1938), religiosa y apóstol de la misericordia del Señor, nos transmite en su Diario esta encendida exhortación de Jesús que nos valora este don del amor de Dios y nos invita a acercarnos al sacramento del perdón, sede de ininterrumpidos milagros de la gracia:

> Escribe, habla de mi misericordia. Di a las almas dónde deben buscar las consolaciones en el tribunal de la misericordia: allí suceden los más grandes milagros que se repiten continuamente... No hace falta peregrinar a lejanas tierras, ni celebrar solemnes ritos exteriores: basta ponerse a los pies de un representante mío y confesarle la propia miseria y el milagro de la divina misericordia se manifestará en toda su plenitud. (...). Aunque un alma estuviese en descomposición como un cadáver y humanamente no hubiese alguna posibilidad de resurrección y todo estuviese perdido, no sería así para Dios: un milagro de la divina misericordia resucitará a esta alma... Desdichados aquellos que no aprovechan este milagro. Lo invocaréis en vano cuando sea demasiado tarde.[51]

El perdón del Señor se convierte también en modelo para nuestro perdón, acto de obediencia amorosa a una parte del

---

[51] S. FAUSTINA KOWLASKA, *Diario,* Città del Vaticano 1992, p. 476.

Padre nuestro, sobre todo cuando éste no es fácil y exige una magnanimidad y una humildad heroicas como las de Jesús.

La crucifixión concluye cuando Jesús exclama desde lo alto de la cruz: "Padre, en tus manos pongo mi espíritu" (Lc 23,46). Esta última oración del Señor coincide con el versículo sexto del salmo 31. Vemos así que, hasta en su plegaria postrera, Jesús es consciente de ese acto de obediencia confiada que lleva el sello de la misión cumplida, de abandono filial y humilde en manos de su Padre y de la conclusión de su milicia sobre la tierra.

De este modo Jesús ofrece un ejemplo elocuente de obediencia fiel a su Padre *hasta el final* de las propias fuerzas y de la vida cuando nos encontremos en el 'calvario' al que Dios nos haya citado. Éste puede ser el de la enfermedad, el de una prueba moral íntima e insospechada, el de un juicio humano injusto, el del abandono de los propios familiares, el de la edad misma con su estela de achaques y limitaciones. Ojalá que, llegados a esa cita divina, en un acto de amorosa obediencia como la de Cristo, extendamos nuestras manos y nuestros pies para dejarnos clavar en 'esa cruz', - mirador divino y definitivo sobre el mundo - y que desde allí perdonemos a todos y de todo y entreguemos la pequeñez de nuestra vida al abrazo eterno del Padre.

XV. CRISTO RESUCITADO

1. En el camino de Emaús (Lc 24,13-35)

De los distintos pasajes en que san Lucas nos presenta a Cristo resucitado, elijo uno que sólo él desarrolla así y que es el más extenso y representativo del tercer evangelista. Es el de *los discípulos de Emaús.*

Por resumir brevemente la escena, si fijamos primero la atención en la persona de Cristo advertimos que él toma la iniciativa de acercarse sin ser reconocido (vv. 15-16), pregunta como quien no se halla informado por los últimos sucesos de Jerusalén (vv. 18-19), deja desahogarse a sus interlocutores (vv. 19-24). Y llega un momento en que cambia su postura: ya no pregunta ni escucha. Ahora les reprende su incredulidad (v. 25), les recuerda el plan de Dios sobre Cristo (v. 26), les explica sin prisas todos los pasos que se referían al Señor en las Escrituras (v. 27). Hace además de seguir su camino al llegar a Emaús (v. 28), lo invitan a quedarse y accede (v. 29), les abre los ojos para reconocerlo al partir el pan (v. 30) y desaparece de su vista (v. 31).

Por su parte, los discípulos se van alejando de Jerusalén (v. 13) en un ambiente de cierta nostalgia impotente (v. 14). Obcecados al principio ante el misterioso caminante que se les une (vv. 15-16), lo escuchan tristes y le ofrecen la visión que tenían de Cristo, un Cristo admirado por ellos, pero con recortes porque no ha librado a Israel (vv. 19-21). Se advierte su consternación, su pragmatismo (v. 22) y racionalismo (vv. 23-24), la desilusión que trasluce su "Nosotros esperábamos" (v. 21), la sinceridad de su petición al caminante para que se quede con ellos (v. 29), el reconocimiento de Jesús al partir el pan (v. 30), el nuevo fervor de su corazón mientras lo han escuchado por el camino (v. 32), la diligencia de su vuelta para anunciar a los apóstoles su encuentro con el Señor resucitado (vv. 33-35).

Ahondando en el mismo pasaje y universalizando esta situación, advertimos que en la vida humana caben la tristeza y el dolor en distintas formas, como la derrota, la desesperanza, la impotencia, la soledad, las perplejidades y confusiones, el abandono... Estos discípulos no han buscado esa tristeza, pero tampoco han entendido aún el papel providencial del dolor en sus vidas. Su fe y su amor son aún pequeños. Por lo mismo, optan por encerrarse en sí mismos y por aliarse para dar una solución humana a un problema que les sobrepasa y se alejan del lugar del peligro (Jerusalén) para refugiarse en un lugar conocido y seguro (Emaús).

Pero el Señor resucitado no los abandona. Se acerca a la tristeza humana. Él acaba de sufrir mucho más que los discípulos, por ellos y en su lugar. Conoce su tristeza y espera lo que él cree conveniente para ver cómo la afrontamos. Se acerca cuando él quiere (v. 15) y como él quiere (v. 15). Normalmente lo hace de modo imperceptible, 'ordinario', como un caminante más junto a dos caminantes. Se acerca a nuestra tristeza y suscita en nosotros el deseo d su compañía.

Y cura nuestra tristeza con su cercanía respetuosa que nos escucha (vv. 18-24). Nos cura, además, con su palabra que nos abre la inteligencia de la sagrada escritura (v. 27), que reprende la dureza y lentitud de nuestro corazón (v. 25), que nos enardece el corazón (v. 32). Y nos cura con su eucaristía que nos da la vista, la vida sobrenatural, un amor nuevo por los antiguos ideales, un celo apostólico que nos impulsa a transmitir a los demás la experiencia del encuentro con el Resucitado sin reparar en tanto cálculo humano: la hora de su regreso a Jerusalén, el descanso legítimo, la posible incredulidad de los discípulos, los peligros temidos de los fariseos y sumos sacerdotes...

Nos puede ser de alguna utilidad meditar en el contenido de la siguiente oración a Cristo Eucaristía al final de la misa o en otros momentos que creamos oportunos. Repite y aplica a distintas situaciones de nuestra vida la invitación de los discípulos de Emaús al Maestro: "Quédate con nosotros porque atardece" (Lc 24, 29):

Quédate, Señor, conmigo, porque te necesito ver presente para no olvidarte, pues ya sabes con cuánta frecuencia te abandono.

Quédate, Señor, conmigo, porque soy muy débil y necesito de tus alientos y de tu fortaleza para no caer tantas veces.

Quédate, Señor, conmigo, porque tú eres mi vida y sin ti con frecuencia decaigo en el fervor.

Quédate, Señor, conmigo, porque tú eres mi luz y sin ti estoy en tinieblas.

Quédate, Señor, conmigo, para que oiga tu voz y la siga.

Quédate, Señor, conmigo, para demostrarme todas tus voluntades.

Quédate, Señor, conmigo, porque deseo amarte mucho y vivir siempre en tu compañía.

Quédate, Señor, conmigo, porque te estoy consagrada y tú me perteneces. Quédate, Señor, conmigo, si quieres que te sea fiel.

Quédate, Señor, conmigo, y haz de mi corazón una celda de amor de la cual nunca te alejes.

Quédate, Jesús, conmigo, porque aunque mi alma es muy pobre, deseo que sea para ti un lugar de consuelo, un huerto cerrado, un nido de amor.

Quédate, Señor, conmigo, y haz que tu amor me inflame tanto que me consuma sus amorosas llamas.

Quédate, Jesús, conmigo, porque se hace tarde y declinan las sombras; es decir, se pasa la vida, se acerca la cuenta, la eternidad y es preciso que redoble mis días, mis esfuerzos; que no me detenga en el camino y por eso te necesito. Se hace tarde y se viene la noche, me amenazan las tinieblas, las oscuridades, las tentaciones, sequedades, penas, cruces, etc.; y tú me eres preciso, Jesús mío, para alentarme en esta noche del destierro.

¡Cuánta necesidad tengo de ti!

Quédate, Señor, conmigo, porque en esta noche de la vida y de los peligros deseo ver tu claridad; muéstrame y haz que te conozca como tus discípulos en el partir del pan; es decir, que la unión eucarística sea la luz que aclare mis tinieblas, la fuerza que me sostenga y la única dicha que embriague mi corazón.

Quédate, Señor, conmigo, porque cuando llegue la muerte quiero estar junto a ti, y si no realmente por medio de la sagrada comunión, al menos quiero estar unido a ti por la gracia y por un abrasado amor.

Quédate, Señor, conmigo; no te pido el sentir de tu adorable presencia y tus regalos divinos, que no los merezco; pero tu residencia en mí por la gracia sí que te la pido.

Quédate, Jesús, conmigo, pues sólo a ti te busco, tu amor, tu intimidad, tu corazón, tu espíritu y tu gracia.

Te busco por ti mismo, porque te amo y no te pido más recompensa que amarte, amarte con solidez, prácticamente; amarte únicamente, amarte cuanto puedo, amarte con todo mi corazón para seguir amándote con perfección por toda la eternidad.

Amén.[52]

2. Últimas instrucciones y ascensión (Lc 24,36-53)

Al encuentro con los discípulos de Emaús sigue el pasaje presente, en el que san Lucas nos manifiesta distintos rasgos del amor del Señor por sus discípulos.

En primer lugar, se les aparece cuando aún están escuchando a los discípulos de Emaús (Lc 24,36-43). Como en otros

---

[52] ANÓNIMO

pasajes, la aparición del Señor es imprevisible y oportuna. El Señor es quien marca las reglas: les transmite ante todo su paz, percibe su perplejidad porque no dan fácil crédito a lo que ven, se deja tocar y come ante ellos.

Luego les deja sus últimas instrucciones (Lc 24,44-49). Conecta los sucesos presentes con el mensaje de su vida pública y con las profecías del Antiguo Testamento. Les abre después la inteligencia para que comprendan todas las escrituras, en especial lo referente a la pasión, muerte y resurrección de Cristo y a la predicación del mensaje evangélico por todo el mundo, empezando por Jerusalén. Les recuerda que ellos son sus testigos. Les promete al Espíritu Santo -'Promesa del Padre' (v. 49) y les pide que permanezcan en Jerusalén hasta recibir la fuerza de lo alto (v. 50). Los discípulos, por su parte, se dejan iluminar, comprometer como testigos y enviar por el Señor.

Por último (Lc 24,50-53) Jesús los lleva hasta cerca de Betania, alza sus manos, los bendice y asciende al cielo. A estos postreros gestos del Maestro en la tierra, los apóstoles corresponden acompañando al Señor, recibiendo su bendición, aceptando la misión que él les ha confiado e iniciando su cumplimiento en Jerusalén con una actitud de profunda alegría y de oración agradecida y perseverante.

Si es lícito definir el amor como un dar y recibir, un recibir y dar, estos últimos pasajes son prueba del amor entre el

Señor y los apóstoles. Él les da su presencia, su consuelo, su paz, sus instrucciones y su bendición. Y los apóstoles corresponden creyendo más en el Señor, aceptando sus dones, comprometiéndose con la misión que les confía, realizándola según las reglas divinas que pasan por la oración de gratitud y la alegría espiritual con las características de ésta: serena y ensancha el alma, hace más generosa la virtud, hace más llevadero el trabajo, más lúcido el pensamiento, más vivaz la imaginación; ayuda a superar las pruebas y dificultades, hace más fácil y fecundo el apostolado.

Concluyo este capítulo con un fragmento de una predicación de san León Magno sobre la ascensión del Señor. Sintetiza los hechos de la vida del Resucitado y arroja luz sobre su significado en la vida y misión de los apóstoles:

Aquellos días, queridos hermanos, que transcurrieron entre la resurrección del Señor y su ascensión no se perdieron ociosamente, sino que durante ellos se confirmaron grandes sacramentos, se revelaron grandes misterios.

(...) Durante estos días, el Señor se juntó, como uno más, a los dos discípulos que iban de camino y los reprendió por su resistencia a creer, a ellos, que estaban temerosos y turbados, para disipar en nosotros toda tiniebla de duda. Sus corazones, por él iluminados, recibieron la llamad de la fe y se convirtieron de tibios en ardientes, al abrirles el Señor el sentido de las Escrituras. En la fracción del pan, cuando estaban sentados con él a la mesa, se abrieron también sus ojos, con lo cual tuvieron la dicha inmensa de poder contemplar su naturaleza glorificada.

(...) Por esto, los apóstoles y todos los discípulos, que estaban turbados por su muerte en la cruz y dudaban de su resurrección, fueron fortalecidos de tal modo por la evidencia de la verdad que, cuando el Señor subió al cielo, no sólo no experimentaron tristeza alguna, sino que se llenaron de gran gozo.

Y es que en realidad fue motivo de una inmensa e inefable alegría el hecho de que la naturaleza humana, en presencia de una santa multitud, ascendiera por encima de la dignidad de todas las criaturas celestiales, para ser elevada más allá de todos los ángeles, por encima de los mismos arcángeles, sin que ningún grado de elevación pudiera dar la medida de su exaltación, hasta ser recibida junto al Padre, entronizada y asociada a la gloria de aquel con cuya naturaleza divina se había unido en la persona del Hijo.[53]

---

[53] S. LEÓN MAGNO, *Sermones,* Sobre la Ascensión del Señor 1,2-4

CONCLUSIÓN

La consigna que nos revela en la transfiguración la voz que sale de la nube es: "Éste es mi Hijo amado: escuchadlo" (Lc 9, 35). Y nos deja a su Hijo un tiempo entre nosotros para la comprensión y puesta en práctica de esta consigna. Es el período que va desde su nacimiento hasta su ascensión. Gracias a la 'escucha' de sus apóstoles, hemos podido conocer nosotros mejor la belleza del rostro de Jesús, el Dios encarnado por amor a nosotros.

Estas páginas han buscado también hacerse eco de la consigna de la transfiguración: mostrar y escuchar al Hijo amado del Padre. Y han buscado contemplarlo y 'oírlo' a partir de los textos que nos transmite con puntual fidelidad san Lucas, después de informarse con diligencia de los distintos hechos que nos narra en los veinticuatro capítulos de su evangelio.

Lo hemos escuchado cuando habla con su Padre (parte I), al dirigirse a sus oyentes (parte II), y mientras afrontaba y superaba por amor a nosotros las pruebas y dificultades de su misión hasta dejar este mundo (parte III).

Habrá quien, según su grado de 'escucha', haya percibido mensajes interiores muy personales que lo inviten a una fe más sencilla y práctica como a Tomás, a una confianza más firme como a los apóstoles en medio de la tormenta en el mar, a un amor más sincero y comprensivo como al hermano del hijo pródigo, a una búsqueda más directa de lo único necesario como a

Marta la hermana de María, a darle a Dios 'la cosa que aún le falta' como al joven rico...

Cada uno de estos mensajes interiores nos coloca ante nuevas dimensiones y perspectivas en nuestra experiencia personal ante ese multiforme 'rostro de Dios', cuya búsqueda centra nuestro destino, debe ser nuestra alegría y nuestro gozo, y nos va permitiendo adquirir distintos grados de madurez en las diferentes etapas de nuestra vida.

Ojalá que en la lectura y meditación de alguna de estas páginas se haya encendido nuestro corazón como el de los discípulos de Emaús y, una vez descubierta la identidad de nuestro 'invitado divino', salgamos de la comodidad de nuestro destino individual y no tengamos miedo de ir -aunque sea 'de noche'- a anunciar a nuestros hermanos alegre noticia del Señor Resucitado.

Made in United States
North Haven, CT
05 February 2024

48357444R00111